LE RENDEZ-VOUS
DU BONHEUR

Déjà parus
dans la collection « Turquoise »

BENEDICTE WATSON

LE RENDEZ-VOUS
DU BONHEUR

PRESSES DE LA CITÉ

9797 rue Tolhurst, Montréal H3L 2Z7 - Tél.: 387-7316

© *Presses de la Cité 1980*

ISBN 2-89116-007-X

1

Fin juillet, il faisait très chaud dans la minuscule cabine de mannequins qui avait été improvisée dans un palace de la rue de Rivoli. Agnès, Christine et Stéphanie passaient à tour de rôle devant le ventilateur pour se rafraîchir le visage. Dans la pièce, il régnait un grand désordre. Au rythme où se succédaient les présentations, le temps manquait pour ranger dans les cartons les robes qui avaient déjà été présentées au public.

Dehors, devant l'hôtel, les voitures des invités, garées en double file, créaient un bel embouteillage. Dans la salle, ils étaient plus de trois cents à être venus admirer la collection de Claude Saint-André qui avait pour habitude de clore les défilés de la mode automne-hiver. C'était son privilège de mettre le point final à cet événement, non seulement parisien, mais aussi international, privilège qu'aucun de ses concurrents n'osait remettre en cause. Et, cette année, c'était le triomphe, car il avait particulièrement réussi ses dessins de robes et de tailleurs à en juger par les manifestations d'enthou-

siasme qui saluaient chaque entrée de mannequin dans la salle.

Assises sur les traditionnelles chaises en bois
doré de location qui avaient été rangées dans la
grande salle rococo, les acheteuses américaines
et surtout japonaises prenaient fébrilement des
notes, dessinaient des croquis, relevaient des
numéros, supputaient l'engouement de leur
clientèle d'outre-Atlantique ou du Soleil levant
pour les modèles dont elles prenaient les réfé-
rences. En dollars ou en yens, les bénéfices ne
manqueraient pas d'être fantastiques.

Une femme d'âge mûr entra dans la cabine.
C'était Irène, l'adjointe du couturier. Elle était
tout excitée par l'accueil fait à la collection.

— Allons les enfants, courage. C'est bientôt
fini. Une fois encore, nous avons réussi. Il ne
vous reste plus qu'un modèle à présenter. Quant
à toi, dit-elle en s'adressant à Stéphanie, pré-
pare-toi pour le final.

Agnès et Christine jetèrent à leur amie un
petit regard d'envie. Il lui revenait en effet le
privilège de revêtir la robe de mariée qui clôt
traditionnellement toute présentation de haute
couture.

— Tu es souffrante ? s'inquiéta Christine en
s'adressant à Stéphanie.

Elle avait relevé en effet que la jeune fille
paraissait soucieuse. Elle restait comme prostrée
devant la grande glace qui avait été placée au
centre de la pièce.

Comme si elle avait reçu une décharge électri-
que, Stéphanie revint sur terre.

— Je crois que je suis fatiguée, dit-elle. Peut-être que c'est cette chaleur...

Malgré les liens d'amitié qui la liaient à ses deux compagnes, elle ne voulut pas leur avouer qu'il y avait autre chose qui la tracassait. Depuis dix jours, elle n'avait pas eu de nouvelles de Clément.

De toute manière, la minute n'était pas aux épanchements. L'atmosphère était un peu folle. Plusieurs personnes venaient d'entrer dans la pièce portant, comme le Saint-Sacrement, le bijou de la collection. Une somptueuse robe blanche qu'elles aidèrent Stéphanie à revêtir. Un très léger décolleté devant qui laissait deviner la naissance de la poitrine, un autre plus profond dans le dos ; la robe s'évasait ensuite sur les hanches et retombait sur les jambes en vastes plis. Claude Saint-André avait réussi un miracle : la robe était à la fois chaste et osée et la ravissante Stéphanie la mettait merveilleusement en valeur.

Christine était admirative. Mais comme elle ne lisait que de la tristesse dans les beaux yeux noirs de Stéphanie, elle s'approcha pour l'embrasser.

— Reprends-toi ma chérie, tu es très belle. Tout dépend de toi à présent et tu n'as pas le droit de nous décevoir. Fais un effort, je t'en supplie.

Claude Saint-André entra en coup de vent dans la cabine pour admirer son chef d'œuvre. Il resta d'abord à distance pour avoir une vue d'ensemble puis, s'approchant, il apporta quelques modifications à l'aide d'épingles. Aussitôt,

9

une ceinette s'approcha pour consolider l'ébauche du mètre. Ce dernier recula à nouveau et semblait satisfait.

— C'est bien, dit-il, tu peux y aller.

Tous ceux qui se trouvaient dans la pièce croisèrent les doigts dans leur dos pour appeler la chance et ils entendirent la présentatrice préparer les spectateurs à la merveille qu'ils allaient voir. L'obscurité se fit dans la salle et seule la herse qui éclairait l'estrade resta allumée. Lorsque Stéphanie pénétra d'un pas lent sous les lumières, il y eut tout d'abord un grand silence. Puis, tout à coup, les applaudissements crépitèrent. Belle, hiératique, la jeune fille avança alors entre la haie des spectateurs dont certains s'étaient mis debout pour mieux voir, avant de virevolter après quelques mètres. Le regard froid, l'air hautain ainsi qu'on lui avait appris à le faire, elle poursuivit sa route de la même allure rapide puis elle revint derrière le rideau. Mais le public continuait d'applaudir et, comme il réclamait un nouveau passage, elle revint sur le podium à la demande de Claude Saint-André dont le visage rayonnait de bonheur. Ce n'est que lorsqu'elle retourna dans la cabine que Stéphanie put s'écrouler sur une chaise sous l'œil étonné du couturier. Il lui prit la main affectueusement.

— Ma petite Stéphanie, qu'y a-t-il? C'est l'émotion, la fatigue? Dis-moi tout.

Elle secoua la tête.

— Pardonnez-moi Claude, mais je suis désemparée. Je ne sais pas si je vais continuer à exercer ce métier. J'aurais voulu vous le dire à un autre moment mais je ne peux plus me retenir.

Chez Saint-André, la stupéfaction le disputait à la colère.

— Mais ce n'est pas possible ! Tu es la vedette de ma collection, ma perle rare. Dieu sait le mal que j'ai eu à te trouver. A tel point que je désespérais de dénicher le mannequin que je souhaitais pour cette présentation. Crois-moi Stéphanie, nous avons beaucoup de choses à accomplir ensemble et tu n'as pas le droit de nous laisser tomber à présent que nous avons réussi.

Elle se redressa.

— J'ai scrupuleusement respecté mon contrat, protesta-t-elle. N'oubliez pas que lorsque vous m'avez demandé de travailler pour vous, il y a quatre mois, il s'agissait seulement de présenter vos modèles d'hiver. C'est à présent chose faite.

— Tu es une ingrate, reprocha-t-il. Oublies-tu que je t'ai fait donner des cours, que je t'ai appris ton métier, que j'ai fait de toi la vedette de ma maison, que ta photo est sur tous les magazines de mode ! Et tu veux m'abandonner alors qu'on nous propose une tournée au Japon et en Corée. Avoue que tu as reçu des propositions d'un de mes concurrents.

Christine intervint, furieuse.

— Et si ce n'était pour personne d'autre ? Et si c'était tout simplement parce que le métier ne lui convient pas ?

Devant ce renfort inattendu, Claude Saint-André battit en retraite.

— Ba, bon, bougonna-t-il. Nous verrons ça plus tard. Il faut absolument que j'aille voir mes invités.

De fait, une foule se pressait devant la porte pour le féliciter et lorsqu'il eut quitté la pièce et qu'elles se retrouvèrent seules toutes les deux, Christine se pencha sur Stéphanie qui restait assise sur sa chaise.

— Maintenant, dis-moi tout. Crois-moi, cela te fera le plus grand bien.

Stéphanie remercia son amie d'un sourire.

— C'est difficile à expliquer et peut-être ne vas-tu pas me comprendre. Mais, en ce moment, je m'interroge. Suis-je faite pour mener cette vie ? J'ai peur qu'elle ne soit vide et sans intérêt.

— Tu as envie de retourner à tes chères études.

— C'est possible, je ne sais pas exactement. Il est vrai que la Sorbonne me manque parfois. J'aimerais bien terminer cette licence de lettres que j'ai interrompue le jour où Claude m'a persuadée d'entrer dans sa maison de couture pour présenter sa collection.

— Et puis, il y a Clément, dit son amie. Il te fait toujours tourner en bourrique, je suppose. N'est-il pas pour quelque chose dans ta décision ?

— Je ne peux pas lui en vouloir, plaida Stéphanie. Nous avons à présent un mode de vie trop différent pour trouver un terrain d'entente. Il professe du mépris pour ce que je fais actuellement.

Elle se souvenait dans les moindres détails de la dispute qui s'était élevée entre eux dix jours

12

auparavant. Ils dînaient dans leur bistrot favori, chez Georges, près de l'Opéra. Ce dernier les avait accueillis avec sa gentillesse coutumière à la dernière marche qui conduisait à son sous-sol et il les avait fait asseoir à leur table préférée, au fond de la salle. Elle était joyeuse, mais Clément restait silencieux, et c'est du bout des lèvres qu'il commanda un steak tartare. Par-dessus son jean's, il avait mis un tee-shirt venu en droite ligne du Disneyworld de Floride. Son allure décontractée, son anticonformisme juraient avec le sérieux du regard. De son visage mat, on retenait avant tout deux yeux bleus que surmontaient d'épais sourcils. Son abondante chevelure noire était légèrement ébouriffée.

Il regardait pensivement sa compagne.

— Que se passe-t-il ? lui avait-elle demandé. Tu parais tout songeur.

Il eut un léger sourire.

— Plus je te regarde, plus je te trouve belle et plus je constate que tu es très intelligente. Aussi, je me demande bien ce qui a pu te passer par la tête, te pousser à commettre cette sottise.

Elle sursauta.

— Laquelle donc ?

— Tu le sais parfaitement, celle d'abandonner tes études pour devenir mannequin.

Elle accusa le coup et prit le temps de répondre.

— Voyons Clément, je n'ai accepté ce travail que pour quelques mois. Je voulais simplement tenter une expérience nouvelle.

— Oui, mais tu n'es plus aujourd'hui la fille que j'ai connue, tu es différente.

Il détailla Stéphanie.

— Rassure-toi, nul doute que tu as largement les qualités requises pour être mannequin. Mais je ne pensais pas que tu pourrais te complaire à exercer ce métier. J'attendais mieux de toi. Comprends-tu à présent ma déception?

Georges leur apportait les hors-d'œuvre. Pendant qu'il bavardait avec Clément, elle se souvint de leur première rencontre. Elle s'était déroulée six mois plus tôt chez des amis communs, et les deux jeunes gens avaient tout de suite été attirés l'un par l'autre.

— Clément Durot, un architecte plein d'avenir, lui avait-on dit en le présentant. Stéphanie Morel.

Il était vêtu de façon décontractée à son habitude sauf que c'était l'hiver et que, sur son pantalon de velours fauve à grosses côtes, il portait un pull-over noir à col roulé. Du haut de son mètre quatre-vingt-dix il jetait un regard légèrement ironique sur les gens et sur les choses, mais cette attitude cachait en fait de la timidité et une grande sensibilité, celle du créateur. On se disait en le voyant qu'il ne devait guère aimer les mondanités, sortir dans les boîtes de nuit, et qu'il devait préférer les soirées en compagnie d'amis de toujours, aux grandes réceptions qui le mettaient mal à l'aise.

« Un peu sauvage », jugea Stéphanie de prime abord. Mais lorsqu'ils s'étaient trouvés l'un en face de l'autre, après que la maîtresse de maison les eut présentés, il avait abandonné son air réservé pour jeter vers la jeune fille un regard intéressé. Elle avait admiré ses yeux bleus et lui avait tout d'un coup trouvé beaucoup de charme. Quel âge pouvait-il avoir ? Elle lui donna 34, 35 ans. Elle estima qu'elle était tombée juste lorsqu'elle sut qu'il avait plusieurs réalisations à son actif, et qu'on le sollicitait de plus en plus en France et à l'étranger.

Ignorant carrément les autres invités de la soirée, il avait casé sa grande carcasse sur le canapé, près de la jeune fille, en face d'une large fenêtre qui donnait sur le parc Montsouris. Et cet homme qu'on lui avait affirmé être peu bavard avait su parler pendant deux heures de son métier de créateur avec des mots simples et passionnés à la fois. Comme elle était loin d'être sotte, elle avait interrompu de temps à autre ce monologue pour poser des questions pertinentes afin d'en savoir davantage. Un mot revenait souvent dans les propos de l'architecte, un mot qui lui plaisait particulièrement. Il faut de l'audace, disait-il, pour s'écarter des sentiers battus, pour refuser la facilité. Pour réussir. En écoutant Clément, Stéphanie avait vite compris qu'il n'évoquait pas la réussite financière dont il semblait se moquer, mais l'autre, celle de l'artisan qui est fier de son œuvre.

A la fin de la soirée, il l'avait tout naturellement raccompagnée chez elle. Ils étaient montés dans sa R 5 cabossée et ils avaient roulé dans Paris désert jusqu'au quai Voltaire. Sans dire mot. Mais sous le porche, ils avaient repris leur conversation jusqu'à ce que le froid les chasse. Rendez-vous avait été pris pour le lendemain, à l'heure du déjeuner.

Midi trente. Il l'attendait devant la Sorbonne.

Elle avait hâté le pas dans sa direction et elle lui avait tendu la main avec un grand sourire.

— Vous n'êtes pas seulement belle le soir, avait-il murmuré.

Elle avait tressé des nattes avec ses longs cheveux et coloré légèrement ses lèvres. En écoutant le compliment de Clément, elle avait rougi et, tout naturellement, avait glissé son bras sous le sien. Les deux jeunes gens étaient heureux de se retrouver et, sans but précis, ils avaient flâné le long du boulevard Saint-Michel jusqu'à ce que la faim les pousse à s'installer dans un bistrot de la rue des Écoles. Avec animation, elle avait alors évoqué sa vie d'étudiante, parlé de Paris qu'elle adorait et que la native de Jarnac qu'elle était commençait de bien connaître, d'un livre de Françoise Mallet-Joris qu'elle venait de lire et qui l'avait passionnée, d'Humphrey Bogart qu'elle vénérait et dont elle revoyait régulièrement les films avec la constance du cinéphile averti. Et, tout naturellement, ils étaient allés voir *la Comtesse aux pieds nus* qui se jouait dans le quartier.

Ce scénario se répéta à plusieurs reprises et Stéphanie avait pris l'habitude de retrouver Clément à la sortie de ses cours. C'était devenu tout naturellement un rite auquel ni l'un ni l'autre ne voulait rien changer. Un tendre sentiment était né entre l'architecte et l'étudiante sans qu'ils sortent de leur réserve. Ils laissaient faire le destin.

Quelques semaines plus tard, Clément la quittait pour effectuer une mission de quatre mois au Caire. Stéphanie avait été désemparée.

L'architecte avait pris une grande place dans sa vie et, lorsqu'elle sortait de la Sorbonne, il lui arrivait de chercher du regard son compagnon de promenade dans l'espoir de l'apercevoir sur le banc où il avait coutume de s'asseoir. Ce qui l'avait peinée, c'est de ne pas recevoir de nouvelles.

Et puis, Stéphanie avait abandonné le quartier Latin. Lorsque Clément était revenu après sa longue absence, une vingtaine de jours auparavant, beaucoup de choses avaient changé.

Elle était allée le chercher à Roissy où arrivait l'avion d'Air France.

« Si vous vous souvenez encore de Clément, disait ironiquement le télégramme qu'elle avait reçu la veille, je vous signale qu'il arrive demain à 14 heures. »

Le souvenir de Clément n'avait jamais quitté son esprit. Quelques heures avant qu'il ne quitte la France pour l'Égypte, quelque chose s'était passé. Il était venu lui faire ses adieux quai Voltaire. Ils tentaient tous deux de cacher leur émotion et puis, soudain, elle s'était jetée dans ses bras. Tendrement, il avait entouré son fin visage dans ses mains et, se penchant vers elle, il l'avait embrassée avec ferveur. Elle lui avait rendu son baiser et lorsqu'ils s'étaient séparés, il avait vu qu'elle avait les yeux embués de larmes.

— Je suis amoureux de toi, avait-il dit simplement. Attends-moi si tu le veux bien.

Elle avait acquiescé et, aujourd'hui, elle attendait avec impatience le moment de se jeter dans ses bras. La reconnaîtrait-il ? Car, entre-temps, Claude Saint-André avait surgi dans la vie de Stéphanie. Il avait fait sa connaissance un soir dans une réception. Séduit, il l'avait suppliée de travailler pour lui comme mannequin et elle avait accepté de tenter sa chance. Plantant là ses cours, elle avait dorénavant pris le chemin de la rue du Faubourg-Saint-Honoré. Patiemment, il l'avait formée. Elle avait été grisée de l'attention dont elle était l'objet et elle avait éprouvé une fierté légitime lorsqu'elle avait posé pour la première fois pour la couverture d'un magazine de mode à grand tirage. Au fil des jours, son enthousiasme était un peu tombé mais elle était prise dans l'engrenage et elle avait du mal à se défaire de ce métier qui était devenu comme une drogue.

Quatre mois avaient passé. En débarquant de l'avion, Clément avait remarqué tout de suite le changement qui était intervenu chez la jeune fille. Pour l'accueillir, Stéphanie avait revêtu un joli tailleur bleu pâle de Saint-André et elle s'était maquillée comme elle en avait à présent l'habitude. Sa beauté attirait tous les regards et lorsqu'elle s'était précipitée vers lui, il n'avait pu s'empêcher d'être ébloui. Au cours de son séjour au Caire, pendant lequel il avait très souvent pensé à Stéphanie, il avait conservé dans son esprit une certaine image de la jeune fille. Celle qui lui faisait face aujourd'hui n'était plus tout à fait la même. La chrysalide était devenue papillon.

— Je suis heureuse de te revoir, disait-elle.

Comme elle se penchait vers lui, il avait effleuré sa joue d'un baiser pour cacher son émotion. Puis, très vite, il avait repris son regard ironique. Désignant du doigt son pantalon et sa veste fripés par cinq heures d'avion, il avait dit un peu méchamment :

— Habillé comme je suis, je vais te faire honte.

Elle n'avait pas voulu attacher d'importance à cette remarque et lui avait pris le bras. Clément avait en définitive baissé la garde et, le soir même, ils avaient joyeusement fêté son retour dans le minuscule studio du quai Voltaire. Elle avait ouvert une bouteille de Dom Pérignon et elle lui avait raconté par le menu les changements qui étaient intervenus dans sa vie. L'ambiance de la maison de couture, les petites mains, les photographes, et Claude Saint-André qui était adorable avec elle. Toute fière, elle était allée chercher le magazine pour lui montrer la couverture sur laquelle elle posait avec une robe du soir pailletée.

— Et cela te plaît, avait-il demandé ?

Le ton était un peu acide et elle était restée interdite. Manifestement, sa métamorphose ne l'enthousiasmait guère et elle avait préféré changer de sujet.

— Clément, je t'en prie, parle-moi du Caire, avait-elle demandé. J'ai tant envie de m'y rendre un jour.

Une fois encore, il s'était adouci et il avait évoqué avec enthousiasme son séjour en Égypte.

— Nous en aurions pour des jours et des jours, dit-il. Le sujet est inépuisable. L'Égypte est un pays où le cours du temps semble s'être arrêté. L'histoire ancienne commence à sauter à la figure aux portes mêmes du Caire, avec les Pyramides de Guizeh et de Sakkarah et puis on remonte le fleuve majestueux entre tous qu'est le Nil et qui conduit aux trésors de Haute-Égypte, Louxor et Abou Simbel. Je pourrais te parler également de la gentillesse de ce peuple tourné vers la terre et qui n'a pas oublié les lois sacrées de l'hospitalité.

Elle buvait ses paroles. Clément, quand il était lancé, possédait l'art du conteur et elle écouta avec passion le récit de son existence pendant les quatre mois qu'il avait passés sur la terre égyptienne pour y construire un village de vacances près d'Ismaïlia sur le canal de Suez.

— J'avais pensé t'y emmener un jour, dit-il soudainement, en la regardant avec une certaine tristesse.

Elle avait relevé qu'il s'était exprimé au passé. Toute l'attitude du jeune homme, depuis qu'il avait débarqué à Roissy, lui revint en mémoire. Son embarras, ses propos ironiques. Elle n'était pas disposée à se laisser faire. Stéphanie se planta devant lui et demanda sèchement :

— Allons Clément, explique-toi une bonne fois pour toutes. Je n'aime pas les sous-entendus. Pourquoi ton attitude a-t-elle changé depuis ton retour ?

— Je te l'ai dit Stéphanie. J'avais gardé le souvenir d'une étudiante qui faisait sagement sa licence de lettres à la Sorbonne et qui m'entraînait dans une petite salle de quartier pour voir un film de Bogart. Je retrouve une jeune femme métamorphosée physiquement, habillée selon les derniers canons de la mode et évoluant dans un monde qui m'est totalement étranger et que je redoute. Comprends-tu ma surprise ?

Elle était furieuse.

— Je t'interdis de me faire un procès d'intention. Ce n'est pas parce que je porte un tailleur de Claude Saint-André que j'ai changé pour autant. J'aime toujours autant les films de Bogart... et ta compagnie, ajouta-t-elle en souriant.

A son tour, il s'était levé et il cherchait à l'apaiser.

— Allons petite Stéphanie, ne nous disputons pas le jour même de mon retour. D'autant que le voyage en avion m'a un peu fatigué. Nous reprendrons cette conversation un autre jour si tu le veux bien.

Alors qu'il se dirigeait vers la porte, elle l'avait arrêté par le bras.

— Viendras-tu me chercher demain à l'heure du déjeuner rue du Faubourg-Saint-Honoré ?

— Soit, promit-il, avec un ton las.

***

Georges et Clément avaient terminé leur conversation et ils étaient à nouveau seuls. Elle remarqua que le jeune homme paraissait embarrassé comme s'il n'arrivait pas à aborder le sujet qui lui tenait à cœur. Depuis son retour, ils s'étaient vus de façon épisodique car elle était très prise par la préparation de la collection et elle n'avait pu lui consacrer tout le temps qu'elle aurait souhaité.

Il se décida.

— C'est la dernière fois que nous nous voyons, déclara-t-il.

Elle devint pâle.

— Mais pourquoi, Clément, que se passe-t-il ? Je pensais pourtant t'avoir convaincu le jour de ton retour. Je t'affirme que je suis toujours la même. Me fais-tu l'injure de croire que ce que je fais m'a tourné la tête ? Qu'est-ce que cela change-t-il donc pour toi que je sois mannequin ?

Il avait planté ses yeux bleus dans les siens. Puis il lui avait dit posément :

— Nous faisons fausse route, Stéphanie. Tu es une jeune fille belle, très belle, intelligente. Tu n'as rien à faire d'un ours comme moi, qui est toujours dans la lune et à qui les mondanités font horreur. Toi, en revanche, tu es promise à un brillant avenir et je m'en voudrais de te faire de l'ombre en quoi que ce soit. Partager éventuellement la vie d'un homme perpétuellement penché sur sa planche à dessin n'a rien de drôle et d'exaltant.

— Et si j'étais amoureuse de toi, dit-elle avec une petite voix. Si tout ce clinquant m'était à présent insupportable, si j'arrêtais tout demain !

Il fit un geste négatif.

— Tu viens à peine d'entamer cette nouvelle vie et tu en aurais des regrets, répondit-il. Tu n'en as pas encore épuisé tous les charmes. Et puis, je sais que tu es une fille de parole et tu ne laisserais pas tomber ton couturier à dix jours de la présentation de sa collection. Quant à être amoureuse de moi... ?

Il prit un temps de réflexion.

— Je pense que tu te montes un peu la tête. Car, au fond, nous nous connaissons à peine. Moi aussi, j'ai pensé beaucoup à toi pendant mon séjour en Égypte. Mais depuis que je suis rentré à Paris, j'ai réfléchi. J'ai pu constater que nous n'avions pas beaucoup de points en commun et je crois qu'il vaut mieux ne pas se revoir. Car tu es belle, Stéphanie, très belle et je ne suis pas insensible à ta beauté.

Elle marquait un point.

— Tu vois bien, Clément, que nous sommes attirés l'un par l'autre, tu viens toi-même de l'avouer. Alors, pourquoi tout casser pour des raisons qui me paraissent peu convaincantes ?

Il faillit être décontenancé. Mais il fit preuve de volonté.

— Je ne reviendrai pas sur ma décision, dit-il froidement. Je te le répète, nous nous voyons ce soir pour la dernière fois.

Des larmes lui vinrent aux yeux. Elle abandonna.

— C'est donc que tu ne m'aimes pas, dit-elle dans un murmure. Que tu n'as jamais éprouvé de sentiments pour moi.

— Ce doit être cela, dit Clément avec calme.

En même temps qu'il prononçait ces mots, il se disait qu'il aimait Stéphanie avec passion et qu'il ne pourrait jamais oublier cette jeune fille qui avait pris possession de son cœur le soir même de leur première rencontre. Mais il en était ainsi, il fallait qu'il tienne bon. Trop de choses les séparaient pour qu'ils puissent être heureux et Clément avait peur, peur que la vie qu'il pouvait offrir à Stéphanie ne la lasse rapidement.

Cela faisait dix jours qu'elle ne l'avait plus revu et elle avait été emportée par le tourbillon de la collection. Une vie infernale faite de nuits courtes, de sandwiches rapidement avalés sur un coin de comptoir, d'essayages sans fin, d'angoisse et d'espoir. En se confiant à Christine qui l'écoutait avec gentillesse, Stéphanie était désemparée. Tout à l'heure, avant que ne débute la présentation, elle avait décidé de rompre le silence qu'avait imposé Clément et elle avait téléphoné à son bureau. Clément Durot, lui avait-on répondu, n'est plus à Paris. Il a pris l'avion pour Séoul. La Corée du Sud, avait-on ajouté, lui a demandé de réaliser un hôpital à Pusan.

2

Clément Durot regarda par le hublot du DC-10 de Korean Airlines. Le triréacteur arrivait à Anchorage. Depuis Paris, le vol avait été sans histoire et les gentilles hôtesses l'avaient gavé de champagne et de foie gras. L'avion était bondé, en classe touriste comme en première classe, et elles avaient eu beaucoup de travail mais elles avaient accordé une attention particulière à ce grand garçon qui avait du mal à caser son mètre quatre-vingt-dix. Sans doute parce qu'il semblait triste.

Clément, en effet, n'avait pas le cœur à rire. L'image de Stéphanie le hantait et il conservait pieusement dans sa poche la première page du magazine sur laquelle éclatait sa beauté. Le dîner chez Georges avait été une dure épreuve. Et il s'étonnait d'avoir pu proférer tant de mensonges en affirmant à la jeune fille qu'il n'éprouvait pas de sentiments pour elle et qu'il valait mieux ne plus se revoir. Car Clément était amoureux fou de Stéphanie et il avait difficilement résisté à l'envie de la prendre dans ses bras et de lui dire son amour, sans se soucier des autres dîneurs. Mais il avait réussi à tenir bon. Il le fallait à tout prix, se dit-il une fois encore.

Clément n'avait pas le goût du malheur et il eût été tellement facile de céder aux sollicitations de la jeune fille, de faire comme si de rien n'était, de poursuivre des relations qui auraient connu des hauts et des bas. Mais c'était justement ce qu'il voulait éviter. La rigueur dont il faisait preuve dans son travail faisait bien évidemment partie de son caractère et, pour rien au monde, il n'aurait transgressé ses convictions. Avant même d'être bachelier, Clément avait choisi de devenir architecte et, par la suite, il avait fait de sa profession un apostolat. Sa vie tournait autour de son métier dans lequel il se faisait remarquer par son manque de conformisme, et il ne voulait pas se laisser entraîner dans un mode d'existence futile qui l'aurait vidé de son esprit créatif.

— Peut-être suis-je profondément égoïste, se dit-il.

Mais il réfuta cette accusation. Bien sûr, il était prêt à accomplir beaucoup de sacrifices pour poursuivre sa tâche mais il n'aurait pas compromis son bonheur avec Stéphanie s'il avait estimé qu'ils avaient une chance. Et, selon lui, il n'y en avait guère. Plongée dans un milieu qu'il abhorrait, entraînée dans un tourbillon où lui n'avait que faire, Stéphanie, avait-il estimé, ne pourrait que se lasser de la vie studieuse et discrète qu'il pouvait lui assurer. Et, à son retour d'Égypte, il avait été trop déçu de ne pas retrouver la jeune fille qu'il avait connue et dont l'image était restée gravée dans son esprit. Pour lui, pour elle aussi, il avait donc décidé de rompre avant que les choses n'aillent trop loin. Et, pour mieux prendre ses distances, il avait aussitôt accepté la proposition qui lui avait été faite par le gouvernement sud-coréen.

Avec un gentil sourire, l'hôtesse lui recommanda d'accrocher sa ceinture. L'avion effectuait son approche sur l'aéroport d'Anchorage, et le triréacteur se posa en douceur sur la longue piste. Terre d'escale pour les long-courriers qui effectuent les liaisons Europe-Asie, Anchorage est avant tout un des plus célèbres « free-shop » du monde et Clément baguenauda le long des comptoirs pris d'assaut par les Coréens et les Japonais. Il s'arrêta devant un étalage de cartes postales. En enverrait-il une à Stéphanie ? Mais pour lui dire quoi ? Il renonça à l'idée qui avait soudainement germé dans sa tête. Mieux valait le silence.

— Entre ma chérie, entre. Il faut absolument que nous ayons ensemble une petite conversation.

Claude Saint-André s'était levé de son fauteuil et il accueillait Stéphanie avec chaleur. Il la fit asseoir en face de lui et la contempla un instant.

— Quelle classe, se dit-il, et quelle chance j'ai eu de la trouver pour ma collection. Je ne pouvais pas mieux tomber. Grâce à elle, en grande partie, la présentation a été un triomphe. Je lui dois une fière chandelle.

Stéphanie s'était assise sur le divan et elle attendait calmement que le couturier prît la parole. Elle avait ramassé ses longs cheveux auburn en un épais chignon, et son visage n'était pas maquillé. Elle avait revêtu une longue blouse ample qui tirait vers le rouille et qui s'évasait sur un pantalon blanc. Ses yeux noirs aux longs cils étaient braqués vers Saint-André qui regagnait sa place devant son bureau surchargé d'échantillons de toutes les couleurs. Il semblait embarrassé. Stéphanie, en revanche, était paisible. N'avait-elle pas pris sa décision ?

Le couturier avait choisi d'adopter un ton paternel pour ne pas la brusquer.

— Pardonne-moi pour l'autre jour mon cœur, dit-il en préambule. Je crois que j'ai commis une sottise. Je t'ai accusée à tort de vouloir travailler pour un de mes concurrents et cela me mettait en colère. En fait, je ne le pensais pas vraiment. Mais que veux-tu, la présentation m'avait mis les nerfs en pelote et, lorsque tu es venue m'annoncer que tu allais partir après le triomphe que nous avions rencontré, j'ai vu rouge et j'ai dit n'importe quoi. Tu ne m'en veux pas trop j'espère ?

Elle accepta les excuses sans répondre. Pas un muscle de son visage ne tressaillit. Elle continuait de fixer Claude Saint-André et ce dernier estima que la discussion se révélait difficile. Alors, il changea de ton.

— Tu ne vas pas m'abandonner ! supplia-t-il.

Elle répondit calmement.

— Non Claude, en tout cas, pas pour l'instant.

Il fut stupéfait par la réponse de la jeune fille. Il s'escrimait à la persuader de rester dans la maison de couture alors que la cause paraissait finalement entendue. Depuis la présentation de la collection, elle avait donc effectué un virage à 180°. Rasséréné, un large sourire illumina son visage.

— Bravo mon petit. Je vois que tu as réfléchi et que tu as compris où se trouvait ton intérêt. Remarque, je te comprends. Après ton début de carrière fulgurant, il eût été vraiment stupide de tout lâcher pour des raisons que je ne veux même pas connaître. J'aime travailler avec des filles qui ont les pieds sur terre.

— Non.

La réponse était tombée nette, sèche. Un peu surpris, il s'ébroua.

— Je ne comprends pas...

— C'est simple pourtant mon cher Claude. Les raisons qui me poussent à continuer ce métier ne regardent que moi. Et j'ajoute que ce n'est sans doute que pour un temps. Alors, ne vous réjouissez pas trop vite.

Il se leva d'un bond, contourna son bureau et s'approcha d'elle.

— Bien sûr, bien sûr, s'exclama-t-il. Plus tard, tu feras ce que tu voudras. Mais je peux donc compter sur toi pour la tournée en Corée et au Japon ?

— C'est exact.

Pour rien au monde, Stéphanie n'aurait manqué ce voyage à présent qu'elle savait où se trouvait Clément. En Corée du Sud, justement, dont les élégantes avaient plébiscité Claude Saint-André au point de le supplier de venir présenter sa collection à Séoul. Pour le couturier, cela représentait une affaire de plusieurs centaines de milliers de dollars.

— Bien, dit Saint-André. Nous sommes aujourd'hui jeudi. N'oublie pas que nous embarquons dimanche pour Séoul et que nous nous rendrons ensuite à Tokyo. Tu verras, ajouta-t-il pour tenter de détendre l'atmosphère, nous allons faire un voyage formidable.

Stéphanie eut un petit sourire. Elle espérait bien, en effet, que ce voyage serait formidable. Elle prit congé du couturier et ouvrit la porte. Dans le couloir, elle tomba sur Christine.

— Veux-tu déjeuner avec moi ? proposa-t-elle.

Son amie acquiesça et, devant une omelette au fromage et un ballon de Côtes du Rhône, régime oblige, elle raconta son entrevue avec le couturier. Elle confirma à Christine sa décision de participer à la tournée. Celle-ci fut folle de joie.

— Oh ! que je suis contente ! s'exclama-t-elle. J'étais ravie bien sûr d'effectuer le voyage mais tu m'aurais terriblement manquée si tu n'avais pas été des nôtres. Tu vas voir, nous allons beaucoup nous amuser. Nous allons passer quinze jours magnifiques.

Elle entama son omelette. Tout à coup, elle posa sa fourchette.

— Mais au fait, qu'est-ce qui t'a fait changer d'avis. Il y a quelques jours, tu voulais nous quitter ?

— C'est Clément, répondit Stéphanie.

Christine eut un soupir de satisfaction. Tout lui paraissait clair.

— Si j'ai bien compris, tu as rompu.

— Pas du tout, c'est plutôt lui qui m'a donné congé en quelque sorte.

— Mais alors, je ne comprends plus ?

— Il est en Corée, lâcha Stéphanie.

Christine fit les yeux ronds.

— Mais alors, c'est une drôle de coïncidence ! Ca y est, j'ai tout compris. Tu participes à la tournée pour le retrouver là-bas.

— Exact, répondit Stéphanie.

Christine sombra dans un abîme de réflexion. Manifestement, la situation la laissait perplexe.

— Dis-moi franchement, es-tu amoureuse de lui ? J'avoue ne plus rien comprendre.

Stéphanie fut évasive.

— Je ne sais pas exactement. Les seules choses dont je sois sûre, c'est qu'il me plaît et que j'accepte mal, de toute manière, que l'initiative de rompre vienne de lui.

— Tu laisses parler ton orgueil si j'ai bien compris ?

— Il y a de cela, avoua Stéphanie. Vois-tu, nous n'avons pas eu le temps de nous connaître vraiment tous les deux puisqu'il a disparu pendant quatre mois en Égypte. Quand il en est revenu, il m'a presque tout de suite déclaré qu'il souhaitait ne plus me voir. Peut-être a-t-il raison, peut-être ne sommes-nous pas faits l'un pour l'autre comme il me l'a affirmé l'autre soir. Mais j'estime que nous n'avons pas eu le temps de nous en rendre compte. Et c'est cela que je lui reproche, c'est d'avoir pris une décision sans m'en parler, sans avoir tenté de voir si nos modes d'existence pouvaient s'accommoder, trouver un terrain d'entente. D'autant que Clément est le seul garçon avec lequel je me sente bien, avec lequel je sois à l'aise. Il se moque des modes et des manières mais il a un côté rassurant qui me convient. Dans ce monde nouveau que j'ai découvert depuis que je travaille dans le milieu de la mode, il aurait été mon garde-fou.

— Mais, si j'ai bien compris, il exigeait que tu abandonnes ce métier de mannequin. Tu as beau dire, tu commençais à prendre goût au rôle de vedette de la maison.

— C'est vrai, reconnut Stéphanie. J'avoue que je suis partagée. D'un côté, je mesure la vanité, la futilité de ce que je fais. Mais j'avoue que je ne reste pas insensible aux compliments, que je ne déteste pas voir ma photographie dans les journaux. Mais lors de notre grande explication, l'autre soir chez Georges, j'ai été ébranlée. Je pense que je laisserais tout tomber si j'étais sûre d'être amoureuse de Clément.

— Mais tu n'es pas sûre.

— C'est vrai.

— Alors, si tel était le cas, adieu les flonflons et à toi les soirées studieuses et les vieux pull-overs à cols roulés.

— Nous verrons bien, soupira Stéphanie. De toute manière, mon premier objectif est de le retrouver, de bavarder avec lui. Nous verrons bien ensuite. Et, puisqu'il se trouve à l'heure actuelle en Corée, et que l'occasion m'est offerte d'aller dans ce pays, eh bien, j'accepte de faire la tournée. Je serai donc dans l'avion dimanche.

— Youpi, s'exclama Christine.

Les deux jeunes filles terminèrent leur repas et regagnèrent la maison de couture.

Le dimanche, en fin de matinée, elles se retrouvèrent à Orly pour le grand départ. Tout le monde était venu tôt au rendez-vous et Claude Saint-André veillait jalousement à l'embarquement des nombreuses malles qui renfermaient ses créations. Toute joyeuse à l'idée d'effectuer ce voyage, Christine babillait et elle avait fini par dérider Stéphanie qui n'aimait guère voyager en avion. Les deux jeunes filles, beauty-case à la main, déambulaient dans le grand hall pour tuer le temps dans l'attente de l'embarquement. Quand il fut annoncé, elles se dirigèrent vers la porte. Quelques instants plus tard, elles étaient confortablement installées à bord.

⁂

— Est-ce que j'aurai les mains libres, interrogeait Clément avec obstination ? A Paris, votre ambassade avait promis de me faciliter la tâche et de me laisser tranquille. Or, depuis que je suis ici, on me promène de bureau en bureau, on me tient la dragée haute et je n'arrive pas à obtenir le feu vert. Si d'ici à demain je n'ai pas satisfaction, je laisse tout tomber et je retourne en France. Je n'ai pas l'intention de perdre mon temps dans des discussions stériles.

Kim Chung Shik jeta un regard amusé vers l'Occidental qui lui faisait face et il fit de la main un geste apaisant. Puis il tendit une boîte de

Monte-Cristo nº 1 que Clément refusa. « Décidément, se dit Kim, ces Européens sont insupportables, ils ne comprennent rien à l'Asie. Toujours pressés, toujours impétueux, toujours exigeants. » Alors qu'il convenait de prendre le temps de vivre, de savourer l'existence. En se pressant ainsi, ces gens enlevaient tout sel à la négociation, les privaient, eux, les Asiatiques, du charme que revêt toute discussion. S'il avait eu en face de lui le représentant officiel d'une grande société industrielle, Kim Chung Shik, qui avait rang de secrétaire d'État dans le gouvernement du général président Park Chung Hee, eût encore repoussé la rencontre à un autre jour. Peut-être à quinzaine. Mais Clément Durot était seul et passablement désarmé dans un pays qu'il découvrait et, de plus, le jeune architecte avait été chaudement recommandé par l'ambassadeur de Corée à Paris qui était de ses amis. Alors, bien que cela fût contraire à ses habitudes, il fit un effort.

— Ne vous impatientez pas, monsieur Durot, dit-il dans un excellent français. Je vous promets que vous aurez satisfaction dans quelques jours. Mais, malgré toutes les recommandations dont vous faites l'objet, je ne peux accélérer plus que je le fais la machine administrative. Nous sommes en état de guerre, ne l'oubliez pas, et il y a quelques précautions à prendre. Déjà, j'ai fait sauter des verrous importants et, croyez-moi, votre affaire se présente bien, très bien même. Vous avez mon soutien et je dirai même celui du général Park. Alors, soyez sans inquiétude. Revenez me voir jeudi matin, j'aurai une bonne nouvelle à vous annoncer. D'ici là, promenez-vous. Nous vous donnerons un interprète. Où désirez-vous aller ? Sur le 38e parallèle ?

— Je n'ai guère de compétence sur les problèmes militaires, avoua Clément.

— Qu'importe, qu'importe, cela vous permettra d'avoir une meilleure approche du drame que vit la Corée depuis sa séparation en deux États. Comme vous êtes appelé à rester plusieurs mois parmi nous, ce n'est peut-être pas inutile ?

Clément s'inclina. Refuser eût froissé son hôte. A défaut d'aller reconnaître le terrain à Pusan où il devait construire l'hôpital, trop éloigné de Séoul pour qu'un aller-retour fût possible en trois jours, il s'était laissé embarquer dans un autobus militaire qui l'avait conduit à une cinquantaine de kilomètres au Nord, dans les fortifications occupées par les armées américaines et sud-coréennes. Lorsqu'il était rentré le soir à Séoul, un message l'attendait à son hôtel. Il était prié de rappeler le plus vite possible l'attaché culturel de l'ambassade de France, Julien Biron. Peut-être ce dernier avait-il été informé des difficultés qu'il rencontrait pour réaliser le projet de Pusan et souhaitait-il lui venir en aide ? Il ne fallait rien négliger et, lorsqu'il eut regagné sa chambre, il forma aussitôt le numéro relevé par le portier. La sonnerie retentit un long moment avant que l'appareil ne fût décroché. Il entendit d'abord un bruit de foule puis une voix grave se fit entendre dans l'écouteur.

— Allô, ici l'ambassade de France. Qui demandez-vous ?

— Monsieur Biron, de la part de Clément Durot.

La voix se fit plus chaleureuse.

— C'est moi, cher monsieur, ravi de vous entendre. J'ai appris par une indiscrétion que vous étiez en Corée. Vous êtes un cachottier, monsieur Durot.

Clément bredouilla de vagues excuses. Mais son interlocuteur poursuivit sans prendre la peine de les entendre.

— Voilà. Je vous ai appelé pour la raison suivante. Il faut absolument que vous veniez nous rejoindre tout de suite. Il y a autour de moi quelques amis qui viennent d'arriver de France et qui seront, je n'en doute pas, absolument ravis de vous voir.

— Je crains que ce ne soit pas possible, répliqua Clément. Je rentre à peine de voyage et je vous assure qu'il m'est difficile de...

— Tt, tt, tt, coupa l'autre. Pas question de vous défiler en un moment pareil. Et puis, j'ai annoncé votre venue à l'ambassadeur, il vous attend. Allez, sautez vite dans un taxi.

Sans attendre la réponse, il raccrocha et Clément ne put que faire de même en maugréant. Il ne manquait plus que ça, voilà qu'il était obligé d'aller faire des mondanités, chose dont il avait particulièrement horreur. Mais peut-être convenait-il de faire un effort et de ne pas se brouiller avec l'ambassadeur alors qu'il venait à peine d'arriver en Corée ! De mauvaise grâce, il ouvrit l'armoire de sa chambre et il examina d'un œil critique sa maigre garde-robe. Décidément, il n'était guère équipé pour participer aux soirées de l'ambassade. Si Stéphanie me voyait, se dit-il avec amusement ! Encore fit-il une entorse à ses habitudes puisque, après avoir revêtu un complet de toile chiffonné, il se décida à mettre une cravate.

Le portier de l'hôtel qui parlait parfaitement l'anglais servit obligeamment d'interprète pour donner l'adresse au chauffeur de taxi qui pilotait avec adresse sa Pony, cette étonnante voiture coréenne née du talent d'un styliste italien. Dix minutes plus tard, la voiture gravissait la petite colline qui conduisait à l'ambassade. Les larges portes-fenêtres étaient grandes ouvertes sur les terrasses et les salons de réception étaient éclairés *à giorno*. Il y avait beaucoup de monde et Clément ne se sentit pas à l'aise. Toute la colonie française de Séoul devait être là. Un planton vint le chercher et c'est alors qu'il gravissait l'escalier qu'il la vit. Il eut comme un choc et, en dépit des gens qui l'entouraient, il ne vit soudainement plus qu'elle. Le reste du monde s'était évanoui.

Stéphanie l'attendait en haut des marches et un léger sourire se dessinait sur ses lèvres. Une fois encore, le jeune architecte fut bouleversé par sa beauté. Elle était rayonnante. Elle portait une ravissante robe de cocktail couleur vieux rose, due au crayon de Claude Saint-André. Elle mettait en valeur ses jambes et ses épaules. Ses longs cheveux auburn tombaient en vagues épaisses dans son dos et ses yeux noirs brillaient sous l'éclat des lampes. Manifestement, la jeune fille était ravie de l'effet de surprise qu'elle avait provoqué.

— Bonsoir Clément, je suis très heureuse de te revoir.

La voix... Oui, il se souvenait parfaitement de la voix. Chaude et profonde. Pas de doute, il ne rêvait pas, c'était bien elle, la femme qu'il adorait. Clément se ressaisit. Il ne fallait surtout pas qu'il laisse percer sa joie, son émotion. Il lui fallait absolument garder la tête froide. Il acheva de gravir l'escalier et il se trouva bientôt près d'elle. Surtout, se dit-il, il faut jouer le jeu devant tous ces regards qui étaient braqués sur la terrasse car son arrivée n'était pas passée inaperçue, d'autant que Stéphanie devait être la reine de la fête.

Il prit délicatement la main de la jeune fille dans la sienne et il déposa un léger baiser sur le poignet.

— Tu es plus belle que jamais Stéphanie et je suis très heureux de te rencontrer. Mais j'avoue que je ne m'attendais pas à te retrouver ici. Bravo pour la surprise elle est totale.

Elle eut un regard moqueur.

— Tu vois, faut-il que je tienne à toi ! Je te poursuis jusqu'au bout du monde. Quel succès tu as, mon cher Clément !

— Alors, ce sont les grandes retrouvailles ?

Se détachant d'un groupe d'invités, un jeune homme s'était approché. Il était vêtu d'un complet impeccable qui aurait fait honte à Clément si ce dernier avait eu des complexes dans le domaine vestimentaire. Ses cheveux bruns étaient soigneusement séparés par une raie et il dégageait une agréable odeur d'eau de toilette.

Il s'inclina.

— Julien Biron, dit-il en s'adressant à Clément.

Ce dernier serra distraitement la main tendue et reporta son regard sur Stéphanie. Elle lui fit discrètement signe de la suivre. Il obéit et elle l'entraîna dans un coin de la terrasse.

— J'ai eu beaucoup de difficultés pour te retrouver mon cher Clément. Heureusement que Julien a été adorable et qu'il s'est mis en quatre pour me faire plaisir. Il a fait le tour de tous les hôtels de la ville et il t'a finalement trouvé.

Il tomba des nues.

— Julien ?

Elle eut un petit rire.

— Es-tu distrait ! Julien Biron, l'attaché culturel de l'ambassade, le garçon qui vient de se présenter ! Il est charmant, n'est-ce pas ?

Clément grommela.

— J'avoue que je n'y ai pas prêté beaucoup d'attention. Que veux-tu, quand tu es là tu monopolises l'attention, tu le sais bien.

Elle accepta l'ironie et elle posa le doigt sur les lèvres de Clément.

— Allons, ne fais pas le méchant, dit-elle, parlons de nous.

L'architecte avait reconnu dans la foule Claude Saint-André et la présence de ravissantes jeunes femmes, somptueusement habillées, avait achevé de l'informer.

— Si j'ai bien compris, ton couturier a entrepris une grande tournée ce qui me vaut l'honneur de te voir ici?

— C'est exact, en Corée et au Japon. Quand j'ai téléphoné à ton bureau à Paris parce que je m'inquiétais de ton silence, on m'a répondu que tu étais parti pour Séoul. Aussi, je n'ai pas hésité, j'ai accepté la proposition de Saint-André.

Un serveur passait avec un plateau. Clément prit un gin tonic mais Stéphanie refusa d'un geste.

— Si j'ai bien compris, tu me poursuis? ironisa-t-il.

— Dans un sens, oui.

— Mais, enfin, pourquoi? Explique-toi? Que je sache, nous nous étions tout dit chez Georges.

Elle rectifia avec un sourire.

— Non, c'est toi qui avais parlé et tu avais décidé pour nous deux. Nuance. Souviens-toi bien de ce dîner. Avant de mâchouiller ton steak tartare, tu avais déclaré que nous ne nous reverrions plus. J'avoue que je ne m'attendais pas ce soir-là à pareille réception.

Il posa son verre sur la balustrade de pierre et fit quelques pas pensivement. Puis, il revint vers la jeune fille qui n'avait pas bougé.

— C'est vrai, reconnut-il, j'ai été brutal. Mais c'était la seule manière de nous en sortir. Pas seulement pour moi mais pour tous les deux. J'avais eu cette impulsion le jour de mon retour à Roissy. Je l'avais réfrénée parce que j'étais heureux de te revoir. Mais quelques jours ont suffi pour me convaincre.

Elle posa sa main sur son bras.

— Mais Clément, tu ne nous as laissé aucune chance ?

Il voulut lui répondre mais Julien Biron fendait la foule et arrivait à grands pas dans leur direction, un grand sourire aux lèvres.

— Je viendrai te chercher demain à ton hôtel à 10 heures, eut-elle le temps de souffler à Clément.

Toujours impeccable, l'attaché culturel s'était planté devant le couple.

— Alors les tourtereaux, on fait bande à part ? On abandonne les amis ?

Décidément, se dit l'architecte, ce garçon m'agace prodigieusement. Il couve Stéphanie comme si elle était sa propriété. Et puis, il n'appréciait guère les bonnes manières diplomatiques que ce jeune surdoué, tout droit sorti de l'E.N.A., avait commencé de singer.

— Venez, lui dit le diplomate, l'ambassadeur vient d'arriver. Il veut à tout prix vous rencontrer.

Ils le suivirent tous les deux dans la foule et, au passage, Clément salua Christine dont il avait fait la connaissance à Paris. Jacques Franchant, l'ambassadeur, faisait partie de ces hommes qui possèdent à la fois des qualités de cœur et d'esprit. L'architecte se souvenait de la leçon qu'avait tirée devant lui un de ses amis, grand reporter. — Lorsqu'on a des ennuis dans un pays étranger, affirmait-il, mieux vaut s'adresser aux missions anglaise, allemande ou américaine pour sortir du pétrin. A l'ambassade de France, on trouve souvent porte close.

Jacques Franchant faisait sûrement exception à la règle et devait faire partie, au contraire, de ces diplomates qui pratiquent la politique de la porte ouverte. Aussi l'architecte s'en voulut-il en définitive de n'être pas venu le voir dès son arrivée. Car il semblait avoir une parfaite connaissance des affaires coréennes dont il parlait avec une finesse et une justesse de raisonnement remarquables. Courtoisement pressé de questions sur son séjour en Corée du Sud, Clément parla du projet de Pusan et fit part des difficultés qu'il rencontrait. Franchant l'apaisa. Kim Chung Shik, confirma-t-il, avait l'oreille du président et nul doute que le feu vert serait rapidement donné. Clément pourrait alors travailler.

Après avoir bavardé avec son hôte, Clément prit congé de l'ambassadeur et il chercha des yeux Stéphanie qui les avait abandonnés. Il l'aperçut enfin dans une embrasure de porte. Elle riait aux éclats en écoutant les propos de Julien Biron lequel, estima-t-il, la serrait d'un peu trop près. Diable, se demanda-t-il, serais-je jaloux ? Tout cela me regarde-t-il encore ? Avec honnêteté, il répondit oui à la première question mais préféra ignorer la seconde. Seul l'avenir pourrait lui apporter une réponse.

Il voulut disparaître discrètement mais Stéphanie avait remarqué sa retraite. Accompagnée de l'attaché culturel elle s'approcha de lui.

— J'espère vous revoir très bientôt, dit-elle en appuyant volontairement sur le bientôt pour rappeler à Clément le rendez-vous qu'elle lui avait fixé pour le lendemain. Biron, tout sourire, lui tendit la main.

— L'ambassade vous est, bien entendu, ouverte, cher monsieur ; n'hésitez pas à venir nous voir.

Revenu sur la terrasse, Clément descendit l'escalier qui menait au jardin. Dehors, il faisait tiède. S'il avait connu le parcours, il serait rentré à pied pour mettre ses idées en ordre car il savait que l'hôtel Plaza n'était pas loin de l'ambassade. Mais il craignit de se perdre, surtout qu'il était onze heures trente du soir et que Séoul commençait d'être désert en prévision du couvre-feu qui s'étendait jusqu'à quatre heures du matin. Il préféra prendre un taxi.

Arrivé dans sa chambre au 28ᵉ étage du palace, il regarda par la grande fenêtre. En face s'étalait la grande avenue Taepyeongro qui constitue le cœur de la capitale. Là se trouvent les bâtiments gouvernementaux avec, tout au bout, le Capitole, siège du gouvernement, et la « Maison bleue » qui est la résidence du chef de l'État et qui était sévèrement gardée par un régiment de Rangers. Sur un toit, à gauche, il aperçut des batteries anti-aériennes destinées à riposter à la moindre alerte. Séoul ne se trouve qu'à quelques minutes de la Corée du Nord pour un avion de combat supersonique.

Étrange atmosphère, se dit-il. Voilà un pays apparemment prospère, qui accomplit un puissant effort dans tous les domaines, dont l'esprit d'entreprise commence d'inquiéter même les Japonais, qui réalise d'importants complexes industriels. Et tout cela peut être anéanti en quelques heures. Même s'il n'y paraît pas trop, la guerre est là, toujours présente dans les esprits, et les exercices de défense passive sont là pour rappeler cet état de fait aux Coréens. Décidément, Kim Chung Shik avait eu raison d'insister, sans avoir trop l'air d'y toucher, pour qu'il se rende sur le 38e parallèle où il avait pu assister à une réunion de la commission d'armistice entre les deux Corées à Panmunjon. Dialogue de sourds. Mais on ne peut travailler dans un pays sans en connaître — tout en évitant de porter un jugement trop rapide — les motivations, le climat politique. Et c'est alors qu'il venait de percevoir tout cela que Stéphanie était apparue, venant de ce fait apporter un élément nouveau dans ses préoccupations, le détourner de sa tâche. Le regrettait-il ? Il eut la franchise de répondre par la négative.

Stéphanie... Il prononça ce prénom avec une grande douceur. Oui, il était fou d'elle. Elle jouait un jeu qui ne lui plaisait guère mais il ne pouvait s'empêcher de rester sous le charme en dépit de ses résolutions. En fait, pour résister efficacement à la jeune fille, il fallait éviter de la voir, et c'est pour cette raison que Clément avait brutalement rompu et quitté Paris dans la foulée. Mais la jeune fille avait été la plus forte. N'était-elle pas venue le rejoindre quelques jours plus tard en Corée alors qu'il pensait avoir tourné définitivement la page ? « Tu ne nous as laissé aucune chance », avait-elle dit chez l'ambassadeur. Peut-être avait-elle raison. Il alla fouiller dans son attaché-case et sortit la couverture du magazine pour lequel Stéphanie avait posé. Les yeux regardaient droit devant et semblaient le fixer. « Et cette chance ? » semblaient-ils demander.

Clément eut beaucoup de mal à s'endormir.

Lorsqu'il se réveilla le lendemain matin, il avait une forte migraine. Pour se remettre d'aplomb, il but plusieurs bols de café et passa sous une douche glacée. Cela allait un peu mieux. A dix heures moins cinq, il prit l'ascenseur et se retrouva quelques secondes plus tard dans le grand hall de l'hôtel. Elle l'attendait déjà, sagement assise sur un canapé, entourée à distance respectueuse d'admirateurs japonais qui lui faisaient de discrètes courbettes.

3

Après le départ de Clément de l'ambassade, Stéphanie avait continué de bavarder avec Julien Biron. Réflexe bien féminin, elle avait engagé la conversation avec l'attaché culturel alors que l'architecte était encore présent dans les salons de l'ambassade afin d'exciter sa jalousie. A tout hasard. Car elle était très hésitante sur les sentiments que pouvait éprouver Clément à son égard. Le jour de son retour à Roissy en France, il avait semblé très content de la revoir et leur soirée avait fort bien commencé jusqu'à ce qu'il lance sa petite phrase : « Et cela te plaît ? » avait-il demandé lorsqu'elle lui avait montré avec fierté le magazine qui contenait sa photographie. Depuis, il était resté sur la réserve, ne voulant pas se découvrir. Tout de même, il avait semblé très heureux lorsqu'il l'avait aperçue en arrivant à l'ambassade de France. Ou bien, était-ce seulement l'effet de surprise ?

Elle était incapable d'apporter une réponse.

Si elle n'arrivait pas à connaître les vrais sentiments de Clément à son égard, Stéphanie ne parvenait pas non plus à analyser les siens. Depuis leur première rencontre, leurs rapports avaient connu quelques hauts mais surtout des bas. L'architecte était apparu un soir d'hiver dans sa vie. Tout de suite, elle avait été séduite par sa réserve, son intelligence et elle n'avait guère été choquée à l'époque par sa tenue décontractée et son non-conformisme. Qu'en était-il à présent, alors qu'elle avait plongé dans un milieu sophistiqué, souvent plus sensible à la forme qu'au fond ? Dans son désir d'analyser son attitude, elle souhaitait d'être la plus franche possible mais c'était bien difficile. Oui, elle regrettait le charme que revêtaient leurs rencontres du temps où elle était étudiante ; oui, elle ne détestait pas le nouveau milieu qu'elle avait découvert depuis.

Elle releva qu'elle n'avait pas dit « j'aime » mais « je ne déteste pas ». Était-ce un signe qui indiquait ses préférences ? Cela voulait-il dire qu'elle était mûre pour retourner à la Sorbonne ? Voire... Les choses n'étaient pas aussi simples. Auparavant, elle avait seulement conscience de sa beauté ; depuis qu'elle était devenue mannequin et qu'elle avait du succès, elle en était fière. Oh ! elle ne souhaitait pas sombrer dans le nombrilisme mais, lorsque l'on a vingt ans, il est difficile de ne pas être flattée par certains hommages. Et c'est cela qu'elle aurait voulu que Clément comprenne. C'est cela qu'elle voulait expliquer au jeune architecte. C'est pour cette raison qu'elle avait décidé de le rejoindre en Corée.

Le bavardage de l'attaché culturel l'empêcha de poursuivre plus loin sa réflexion.

— Ma chère Stéphanie, disait Julien Biron, votre apparition à Séoul est un événement. Si, si. Elle chasse la monotonie de la vie quotidienne. Je vais m'attacher à vos pas pendant tout votre séjour dans ce pays et je serai votre chevalier servant. Je ne laisserai cette place à personne d'autre.

— Pas demain, dit-elle.

— Pardon ?

— Demain, ce n'est pas possible. J'ai déjà un engagement.

— Avec Monsieur Durot ?

— Pardonnez-moi mon cher Julien mais cela ne regarde que moi.

Et comme il paraissait surpris par le ton qu'elle avait employé :

— Ne m'en veuillez pas Julien. Mais laissons de côté mes affaires personnelles si vous le voulez bien.

Elle regarda le jeune homme qui avait retrouvé son assurance. « Il est beau garçon, se dit-elle. Dommage qu'il ne veuille pas abandonner cette attitude guindée et conventionnelle en usage dans les chancelleries. » Mais il semblait très serviable et paraissait attiré par elle. Il suffisait de voir avec quelle célérité il prévenait ses désirs.

L'ambassadeur fit un signe à Biron et ce dernier l'abandonna. Stéphanie rejoignit alors Christine qui était aux prises avec l'attaché commercial.

— Comment trouves-tu cette soirée, elle est formidable n'est-ce pas?

Stéphanie acquiesça d'un sourire.

— J'ai vu Clément, lui dit-elle quand elles furent seules.

— Je sais, je l'ai aperçu. Alors, où en êtes-vous? Fâchés ou réconciliés? Est-ce qu'il s'est montré enfin compréhensif?

— Je l'ignore encore, avoua Stéphanie. Nous n'avons pas vraiment parlé parce que nous avons été dérangés sans cesse. Mais nous avons rendez-vous demain puisque la présentation de la collection ne commence que jeudi. Je dois aller le chercher à l'hôtel Plaza.

— Tu es contente?

Stéphanie fut évasive.

— J'en saurai davantage demain soir, après notre entrevue.

— Très bien. Que faisons-nous maintenant?

— Julien Biron et d'autres membres de l'ambassade ne vont pas tarder à nous raccompagner car il existe paraît-il un couvre-feu à minuit. Demain, c'est quartier libre. C'est pour cette raison que je vais me promener avec Clément.

L'attaché culturel approchait en compagnie de Claude Saint-André.

— Allons les filles, préparez-vous, dit le couturier. Il faut que nous regagnions l'hôtel. Rendez-vous dans cinq minutes sur le perron.

Ils prirent congé de l'ambassadeur qui promit d'aller assister à une présentation puis embarquèrent dans les voitures. Il ne leur fallut que quelques minutes pour arriver à l'hôtel.

— Je n'ai pas sommeil, tu viens boire un verre ? demanda Stéphanie.

Christine hésita avant de dire oui.

— Au fond, pourquoi pas. C'est vrai que demain nous n'avons rien de particulier à faire. Vive la grasse matinée. L'attaché commercial a promis de venir me chercher pour le déjeuner.

Elles se dirigèrent vers le bar et eurent la surprise d'y retrouver Claude Saint-André.

— Venez par ici, je vous invite.

Le couturier paraissait très satisfait.

— Pendant que vous flirtiez à l'ambassade, je bavardais avec les acheteurs coréens qui avaient été invités à la réception. Notre affaire se présente fort bien.

— Quel est exactement le programme des réjouissances ? demanda Stéphanie.

Saint-André sortit un calepin de sa poche.

— Deux présentations à Séoul jeudi et vendredi. Ensuite, nous prenons un autocar pour Pusan et le soir-même nous remettons ça. Deux jours de repos dans la région de Pusan puis, dimanche soir, retour en avion sur Séoul. Là, on change simplement d'appareil et on s'envole pour Tokyo.

Stéphanie se dit que décidément, elle était poursuivie par la chance. Elle avait en effet entendu Clément dire que c'était à Pusan qu'il était appelé à construire un ensemble hospitalier.

Claude Saint-André se tourna vers elle.

— Alors ma petite Stéphanie, as-tu le moral à présent ? J'espère que tu es définitivement revenue sur ta décision de nous abandonner. Plus j'y réfléchis, plus j'estime que c'était une folie de ta part. Et puis, reconnais que la vie en notre compagnie n'est pas désagréable. Bientôt, tu vas avoir à tes pieds le gratin de Séoul et de Tokyo.

Les deux jeunes filles le regardèrent avec ironie. Claude Saint-André, décidément, ne changerait jamais. Il vivait tellement dans son univers qu'il n'imaginait pas que les autres puissent s'en écarter, avoir d'autres préoccupations.

Il était minuit quinze lorsqu'ils remontèrent dans leurs chambres. Stéphanie les abandonna au neuvième étage et prit le couloir qui conduisait chez elle. Alors qu'elle se préparait à introduire la clef dans la serrure, elle vit une silhouette se détacher du mur et s'avancer vers elle. Elle eut un geste de frayeur et faillit rebrousser chemin. Et puis, elle reconnut Julien Biron.

— Julien, que faites-vous là? s'écria-t-elle.
Il fit un geste d'apaisement.

— Pardonnez-moi Stéphanie. Mais je n'arrivais pas à vous quitter. Je voulais à tout prix vous dire au revoir en tête à tête.

— Et vous avez attendu devant ma chambre pendant trois quarts d'heure?

— J'ai pensé, je l'avoue, que vous remonteriez plus tôt. Et puis, je me suis fait surprendre par le couvre-feu.

— Mais enfin, Julien, vous êtes fou. Qu'allez-vous faire à présent, demanda-t-elle avec impatience.

Il désigna leur environnement.

— Peut-être vaut-il mieux ne pas rester dans

52

le couloir pour poursuivre notre conversation. Si vous ouvriez la porte de votre chambre ?

Elle protesta.

— Mais enfin, jamais de la vie ! Il n'en est pas question !

— Allons Stéphanie, faites un geste. Je vous assure que vous pouvez avoir confiance en moi.

— Mais je vous connais à peine...

Il s'était approché d'elle et il lui prit la main. Elle tenta de la lui enlever mais il la tenait solidement. Soudain, il l'attira brutalement vers lui et l'enserrant dans ses bras, il se pencha vers elle et l'embrassa avant qu'elle ait pu faire un geste. Le baiser fut violent et bien qu'elle tenta de résister, elle ne put s'empêcher d'éprouver un certain trouble. Julien s'en rendit compte et prolongea le baiser. Quand ils se séparèrent, elle eut du mal à retrouver son souffle.

— Ouvre la porte, implora-t-il.

Elle refusa de la tête. C'est alors qu'ils entendirent la sonnerie du téléphone dans sa chambre. Précipitamment, elle enfonça la clef dans la serrure et pénétra dans la pièce. C'était Christine qui n'arrivait pas à trouver le sommeil et qui voulait lui souhaiter une bonne nuit. Pendant que les deux jeunes filles bavardaient, Julien pénétra à son tour dans la chambre et il referma la porte derrière lui. Il s'approcha d'elle et, profitant de la situation, il promena ses lèvres sur les épaules nues de Stéphanie. Elle tenta une fois encore de l'écarter mais il tenait bon. Lorsqu'elle put raccrocher l'appareil, elle fut à nouveau prisonnière. Il l'entoura de ses bras et leurs lèvres se joignirent pour un deuxième baiser. Les mains du jeune homme enserraient la taille de Stéphanie qui semblait ne pas s'en apercevoir. Mais lorsqu'elles tentèrent de s'aventurer vers le corsage, la jeune fille reprit ses esprits.

— Non Julien, assez.

— Je suis fou de toi, Stéphanie. Depuis que je t'ai aperçue, je ne pense plus qu'à cet instant. Ne me repousse pas je t'en prie.

— J'ai dit non !

Elle s'était écartée de lui et le regardait d'un air moqueur.

— Allons Julien, ce n'est pas très chevaleresque de vouloir ainsi profiter de la situation. Moi qui vous prenais pour un diplomate guindé, à cheval sur les principes, je commettais une belle erreur.

Il la regarda d'un air contrit. La belle ordonnance de sa chevelure avait disparu et il avait perdu de sa superbe.

— C'est à cause de Clément Durot, hasarda-t-il ?

Le visage de la jeune fille se ferma aussitôt et ses yeux devinrent plus noirs encore que d'habitude.

— Laissez donc Clément en dehors de tout cela je vous prie. C'est un être pour lequel j'ai beaucoup d'affection et une très grande estime et je ne vous reconnais pas le droit de vous immiscer dans mes affaires personnelles. Je croyais vous l'avoir déjà dit.

Il baissa la tête en recevant l'algarade. Manifestement, il avait commis un faux-pas. Désespérément, il tenta de se rattraper.

— Excusez ma maladresse Stéphanie. Mais je suis amoureux de vous.

Elle se radoucit.

— Bon, n'en parlons plus. A présent, ajouta-t-elle en lui montrant la porte, il faut absolument que vous partiez.

— Mais où vais-je aller ? Je vous rappelle que le couvre-feu me bloque ici.

— Et vous espériez sans doute que je vous donnerais asile ? ironisa-t-elle, ce n'est pas sérieux. Aussi, je vous conseille de vous débrouiller. Vous n'avez qu'à demander une chambre au portier et à attendre la fin du couvre-feu. Il se termine à quatre heures je crois.

— Mais je suis connu ici. C'est dans cet hôtel que nous logeons les hôtes de l'ambassade. Je vais être ridicule.

— Tant pis pour vous. Vous n'aviez qu'à ne pas vous mettre dans ce mauvais cas. Dites que vous avez une panne de voiture !

Il fit un pas dans sa direction.

— Mais pourquoi me chassez-vous, Stéphanie ? Tout à l'heure, nous avons échangé des baisers et cela ne semblait pas vous déplaire. Pourquoi ce revirement ?

— Des questions, toujours des questions ! Tout à l'heure, vous m'avez surprise, voilà tout. Et il est maladroit de rappeler à une femme ses faiblesses. Ne vous a-t-on jamais dit, mon cher Julien, que la logique ne faisait pas toujours bon ménage avec les sentiments ?

Avait-elle réellement éprouvé du plaisir lorsque Julien l'avait embrassée ? Oui, sans erreur possible. Mais avant même qu'elle ait retrouvé son sang-froid, la présence de Julien était devenue inopportune. Car l'image de Clément s'était tout à coup imposée à son esprit pour s'y ancrer et elle aurait à présent souhaité avoir devant elle l'homme dégingandé et nonchalant qu'elle était venue retrouver en Corée. Clément, se dit-elle soudain, m'a rarement embrassée. Avant son départ pour Le Caire, puis à son retour, un baiser sur la joue qui avait légèrement glissé au coin des lèvres lors de son retour du Caire. Mais à présent que Julien avait réveillé ses sens, c'est dans les bras de l'architecte qu'elle aurait voulu se trouver. Était-il aussi indifférent qu'il voulait le paraître depuis leur rupture chez Georges ? Stéphanie en doutait et ce qu'elle souhaitait le plus au monde aujourd'hui, c'était de connaître les vrais sentiments de Clément à son égard. Elle voulait arracher le masque. Quelle serait sa propre attitude s'il se révélait qu'il était profondément amoureux d'elle ? Elle ne put apporter de réponse.

Julien était resté près de la porte. Sans dire mot, elle l'ouvrit et le pria de sortir. La mine déconfite, il obéit et s'engouffra dans un ascenseur avant de gagner sa voiture et de prendre le chemin de l'ambassade. Car les voitures diplomatiques avaient le droit de circuler dans Séoul en dépit du couvre-feu...

Stéphanie ôta sa robe de cocktail et revêtit une somptueuse chemise de nuit signée Claude Saint-André. Le couturier ne supportait pas, en effet, que les mannequins de sa maison puissent se fournir ailleurs que chez lui. Avant de tirer le

56

rideau, elle jeta un coup d'œil par la grande fenêtre qu'il était formellement interdit d'ouvrir et à travers de laquelle on ne pouvait ni photographier ni regarder à l'aide de jumelles. Pour des raisons de sécurité... A cette heure-ci, Séoul était comme une ville morte. Seules des patrouilles militaires étaient visibles.

Elle éteignit la lumière et se glissa dans le lit, gardant les yeux grands ouverts dans l'obscurité. A l'image de Christine, elle n'avait guère envie de dormir. Elle revivait la scène avec Julien et elle eut un petit rire en songeant au trouble qui l'avait envahie lorsque le jeune diplomate l'avait embrassée. « Nous nous sommes conduits comme des collégiens », dit-elle tout haut.

Cette évocation la ramena bien en arrière, à Jarnac, du temps où elle avait seize ans. André, oui, c'est cela, il s'appelait André, s'était institué son chevalier servant et il ne la quittait pas d'une semelle lorsque ses parents la laissait sortir, ce qui n'était pas toujours facile. Fille de grands négociants de Cognac, elle avait été élevée dans la stricte éducation bourgeoise en vigueur dans cette ville de province. Elle avait grandi dans le quartier résidentiel des Chabannes, dans une grande maison enfouie dans un parc où se cotoyaient des marronniers plusieurs fois centenaires et des tilleuls. Tous les matins, elle allait à l'école de Jarnac et pour s'y rendre, elle passait entre les grands chais noircis par les fumées de l'alcool où mûrissaient les cognacs les plus fins.

André était le fils d'un maître de chais et, dès le printemps, la joyeuse bande prenait le chemin de la Charente pour s'y baigner ou prendre un bain de soleil. Le garçon s'était fait son protecteur mais, un jour, les choses avaient failli aller trop loin.

André était venu la chercher à la sortie de l'école avec son maillot sous le bras.

— Tu viens avec moi, Stéphanie ? On pourrait aller se baigner.

— Chouette, c'est une bonne idée. Mais où sont passés les autres ?

— Ils m'ont promis de nous rejoindre derrière le pont, à la baignade. Comme d'habitude.

Insouciante, elle était partie, joyeuse, tenant le sac qui contenait ses livres et son maillot qu'elle avait emporté le matin à tout hasard. Vers cinq heures de l'après midi, ils étaient arrivés à destination et ils avaient chacun gagné les wagons désaffectés qui servaient de cabines et qui avaient été partagés entre « hommes » et « femmes » pour respecter les convenances.

Pauvre André... Elle se souvenait de la scène comme si elle s'était déroulée hier. Gauche, intimidé, il s'était soudain approché d'elle. Il lui avait pris la main et, en bredouillant il lui avait déclaré son amour. Tout de go. En écoutant ce garçon qui avait son âge lui assurer qu'il l'aimait d'un amour éternel, elle avait tout d'abord été surprise puis elle avait pris le parti d'en rire. Sa tignasse rousse au vent, il prononçait des mots d'amour qui semblaient comiques dans sa bouche de seize ans.

Elle s'était écartée légèrement et lui désignait le soleil implacable qui, par extraordinaire, écrasait ce jour-là les Charentes.

58

— Allons nous baigner, avait-elle dit pour mettre fin à une situation qu'elle jugeait ridicule.

Pour Stéphanie, du fait de la stricte éducation qu'elle avait reçue, les rapports entre garçons et filles étaient simples, dépourvus d'ambiguïté, basés sur l'amitié. Non pas qu'elle ignorât qu'ils pouvaient prendre un autre tour mais elle avait été préservée, jusqu'à présent, des sentiments plus complexes. Pour elle, le flirt consistait à accepter de donner sa main lors des promenades et à danser de préférence avec André lorsqu'il mettait un slow sur l'électrophone lors des surprises parties improvisées chez l'un ou chez l'autre.

Mais, ce jour-là, les choses avaient été différentes. Le visage du garçon était devenu grave. Soudain, André l'avait prise dans ses bras et il essayait maladroitement de l'embrasser. Gênée, elle s'était enfuie et, pour cacher son embarras, elle avait plongé dans l'eau fraîche. Dieu merci, d'autres amis étaient arrivés à leur tour et, tout penaud, André n'avait pu que rejoindre le gros de la troupe. Son rêve était brisé : jamais plus il n'avait pu approcher Stéphanie. Elle avait perdu un soupirant, elle avait gagné de la tranquillité. Deux mois plus tard, elle se rendait à Paris pour s'inscrire à la Sorbonne.

André... Julien ! A quatre ans de distance, la scène se répétait sous des cieux différents et dans des circonstances tout à fait autres. Mais elle avait à présent atteint l'âge où une femme connaît parfaitement la règle du jeu et ses conséquences, où l'innocence s'estompe pour laisser la place à la rouerie. Mais, comme cela avait été le cas avec André, elle avait été surprise. Le savoir-faire du diplomate n'avait bien entendu rien de commun avec la maladresse de son ami d'enfance mais le scénario était à peu près le même. Seules les conséquences étaient différentes. Stéphanie ne s'était pas enfuie, elle avait même été troublée par la fougue de Julien et touchée par sa déclaration d'amour. Amour ? Le mot était peut-être trop fort puisqu'il la connaissait à peine. Mais nul doute qu'il semblait profondément attiré par elle.

— Je suis fou de toi, avait-il dit en la tutoyant.

Elle ne se souvenait pas que Clément lui ait jamais dit des mots aussi doux et c'est sans doute de les entendre qui lui avait fait perdre un moment ses esprits. Les circonstances aussi, le fait de se trouver ailleurs que dans son milieu habituel, le champagne peut-être qu'elle avait bu à l'ambassade. Et Clément dans tout cela ?

Désemparée, elle eut tout à coup envie d'être chez elle, aux Chabannes près de Jarnac, point d'ancrage de la famille, afin de se retremper dans le climat rassurant de son enfance. Elle aurait voulu se retrouver auprès de son père dont l'affection lui était chère et qui, sans avoir l'air d'y toucher, avait veillé sur sa fille depuis son premier biberon. Elle faillit décrocher le téléphone pour l'appeler. En France, il devait être neuf heures du matin et il devait déjà être à son bureau, à moins qu'il ne soit dans un chais. Mais elle y renonça. C'était à elle, et à elle seule de voir clair en elle et il eût été ridicule de l'inquiéter. Demain, de toute manière, elle verrait Clément et peut-être que cette journée serait décisive.

Et si l'architecte la repoussait encore ? Serait-elle déçue dans son amour ou dans son orgueil ? Était-elle éprise de Clément au point de sombrer dans un chagrin immense ? Elle ne put, une fois encore, apporter de réponse. Les sentiments qu'elle éprouvait à son égard étaient en partie occultés par Julien et par la griserie que lui procurait le métier qu'elle avait choisi d'exercer.

Elle eut du mal à s'endormir et lorsque le téléphone la réveilla à huit heures trente, elle était plongée dans un sommeil profond dont elle émergea difficilement.

— C'est le service du réveil, lui dit la standardiste dans un français chantant.

Stéphanie avait juste le temps de prendre son petit déjeuner et de s'habiller. Après avoir ingurgité un mauvais café et bu un jus de pamplemousse, elle ouvrit l'armoire pour piocher dans sa garde-robe. Auparavant, elle avait jeté un coup d'œil par la fenêtre. Le temps promettait d'être beau. Elle choisit une robe légère couleur topaze et noua dans ses cheveux un foulard de soie du même ton. Dans le hall, elle se heurta à Christine qui revenait de la cafeteria.

— Alors, tu es prête ? lui demanda son amie.

— Oui. Si jamais Claude Saint-André me cherche, dis-lui que je serai de retour en fin d'après-midi. J'espère que nous n'avons pas de réception prévue pour ce soir ?

— Je crains que oui. J'ai pris mon petit déjeuner avec Claude et je l'ai entendu dire que ses commanditaires coréens organisaient ce soir une grande fête en notre honneur. Ils lui ont téléphoné ce matin.

— La barbe !

Contrariée, Stéphanie se dirigea vers le portier et lui demanda d'appeler un taxi. Lorsqu'elle parvint au Plaza hôtel après que le chauffeur se fût frayé un chemin dans une circulation extrêmement dense, elle avait malgré tout dix minutes d'avance et elle s'assit sur un canapé. Son entrée dans le palace où les autorités de Séoul avaient logé Clément n'était pas passée inaperçue. D'autant que s'étalait en première page des quotidiens sa photographie prise lors de l'arrivée de la troupe à l'aéroport. Un groupe de Japonais lui fit des signes amicaux et c'est à ce moment qu'elle vit l'architecte sortir de l'ascenseur.

Il vint rapidement vers elle et s'excusa.

— Désolé si je suis un peu en retard.

Il rafla le journal des mains de la jeune fille et regarda longuement la première page.

— Diable, nous n'allons pas passer inaperçus au cours de notre promenade, dit-il avec ironie.

— Cela te déplaît ?

— Tu connais mon côté sauvage. J'avoue que j'ai un penchant pour l'anonymat. Que veux-tu, il est difficile de se refaire et je n'ai pas encore pris tes bonnes habitudes.

Elle se leva du canapé.

— Écoute Clément, tu ne vas pas m'en vouloir toute la journée pour cette photo, dit-elle

62

d'un ton légèrement irrité. Claude Saint-André a besoin de réussir sa tournée et il lui faut donc de la publicité. Il aurait été impensable que je refuse de poser pour les photographes, lors de notre arrivée.

— Tu as, bien entendu, raison, pardonne mon mauvais caractère.

Elle se radoucit.

— Où allons-nous ?

— J'avoue que je n'ai pas eu le temps de m'informer. Attends-moi ici. Je vais demander conseil au portier.

Elle regarda s'éloigner sa grande silhouette et elle le vit discuter au bureau de l'hôtel avec un Coréen qui lui montrait un plan. Elle le trouva à nouveau très séduisant. Ses abondants cheveux noirs faisaient ressortir l'éclat de ses yeux clairs et il avait toujours cet aspect rassurant qui donnait une impression de force. N'était-ce pas cette solidité, cette profondeur qui l'avaient séduite le jour où ils avaient fait connaissance ? Elle le retrouvait tel qu'elle l'avait quitté et cela était bien ainsi. Elle aurait été déçue dans le cas contraire. Stéphanie n'avait guère d'attirance pour les hommes malheureux qui portent leur âme en bandoulière. Elle aimait la lutte et non la soumission.

Il avait fini de s'informer et revenait vers elle.

— Il m'a conseillé le palais Kyongbok qui se trouve au nord de Séoul. C'est un magnifique vestige de la dynastie Yi qui est entouré d'un très beau parc. Qu'en penses-tu ?

Pour toute réponse, elle mit sa main fine dans la sienne.

— Je te suis, dit-elle doucement.

4

« Patte de velours, se dit-elle. Je vais montrer patte de velours. Si incident il y a, je ne veux pas qu'il vienne de moi. Et je veux à tout prix essayer de l'éviter. Mais je ne vais pas pour autant me laisser faire. Il faut que je me souvienne cependant que Clément a un côté bourru et il faut que je fasse taire ma susceptibilité. » Quand elle était plus jeune, son père avait coutume de se moquer de son caractère soupe au lait et c'était bien le seul dont elle acceptait les plaisanteries. Elle s'était heureusement assagie depuis mais, de temps à autre, une réflexion apparemment anodine la mettait hors d'elle. Il faut reconnaître que sa colère ne durait guère et qu'elle oubliait bien vite l'objet de son irritation.

Le portier avait réussi à héler une Pony et ils s'engouffrèrent dans la petite voiture. Clément montra le bout de papier sur lequel avait été écrit le nom du palais Kyongbok. Le chauffeur fit signe qu'il avait compris et le taxi, quittant le parking de l'hôtel, pénétra en force dans la circulation avec cette indifférence et ce goût suicidaire qui caractérise les Asiatiques... Au

65

cours du voyage qui dura près d'une heure, Clément et Stéphanie crurent à plusieurs reprises que leur dernière heure était venue, mais, chaque fois, le pire était évité, comme par miracle. Ce ne fut que lorsqu'ils aperçurent les arbres magnifiques du parc qu'ils comprirent qu'ils étaient sauvés. Pendant le trajet, ils avaient à peine échangé quelques mots tant ils étaient fascinés par l'inconscience de leur chauffeur.

Clément régla la course en tendant une poignée de billets et l'aida à descendre. Elle était un peu pâle. Et, tout à coup, ils partirent d'un grand fou rire. Des larmes coulaient des yeux de Stéphanie et elle sortit de son sac un mouchoir fin pour les essuyer.

— Je ne me souviens pas d'avoir vécu un pareil rodéo, dit-il.

Un couple de Coréens, ébahi, regardait avec surprise ces Européens qui se tordaient de rire. Puis, par politesse, ils se mirent à leur tour à s'esclaffer sans se douter une seule seconde que cette hilarité était en fait une réaction à la peur. Une fois calmés, ils saluèrent poliment la petite famille coréenne qui s'enfonça alors en trottinant dans un sous-bois et, tout naturellement, elle posa sa main sur le bras de Clément. A leur tour, ils empruntèrent un sentier qui s'offrait à eux. Le sol était jonché de feuilles dorées qui crissaient sous leurs pas. L'air était doux et le ciel bleu leur apparaissait parfois à travers les arbres.

Stéphanie se sentait bien. Elle jeta un regard de côté vers Clément qui semblait également parfaitement paisible. L'ambiance lui paraissant propice, elle résolut d'attaquer la première.

— Clément, es-tu heureux ?

La brutalité de la question le surprit.

— Cela dépend, répondit-il. Et tout d'abord, être heureux, qu'est-ce que cela veut dire ? Je peux déjà te répondre que je me sens bien puisque le temps est beau, que ce parc est merveilleux et que de t'avoir près de moi ne m'est pas désagréable, loin de là. Pour le reste...

— Explique-toi.

— Eh bien, je pense que j'ai hâte de commencer mon travail à Pusan, de repérer le terrain, de cerner les désirs de la municipalité de Pusan et de rentrer à Paris pour me pencher sur ma planche à dessins.

Elle arrêta leur marche.

— Et moi dans tout cela ?

— Je viens de te le dire, Stéphanie. Je suis content de t'avoir près de moi.

— C'est tout ?

Il ne répondit pas.

— J'attendais autre chose, soupira-t-elle.

Il secoua la tête puis se remit à marcher. Elle le rattrapa.

— Tu es une femme difficile à comprendre, Stéphanie, et j'avoue que j'ai du mal à m'y retrouver. Crois-tu donc que la vie est un jeu et que l'on peut sans cesse s'amuser avec les sentiments des autres ? Je ne suis qu'un homme, Stéphanie, et ce n'est pas bien de me provoquer.

— Tu veux dire par là que je n'aurais pas du venir à Séoul ?

— Il y a de cela mais les choses ne sont pas aussi simples. J'ai été ravi de te revoir.

Elle s'insurgea.

— Mais, alors, pourquoi m'avoir dit tant de choses affreuses lors de notre dîner chez Georges ? Pourquoi avoir depuis gardé le silence ? Pourquoi t'être enfui en Corée sans même me prévenir de ton départ ?

Ce fut à son tour de s'arrêter. Il se tourna vers elle et la regarda avec gravité.

— Tu n'as rien compris, Stéphanie. Ou plutôt, comme je te sais intelligente, tu fais mine de ne pas comprendre. Si je t'ai annoncé que je ne voulais plus te revoir, si j'ai accepté l'offre du gouvernement coréen alors qu'on me proposait un projet intéressant près de Paris, c'est que je voulais te fuir. Et si je veux te fuir, c'est que je suis amoureux de toi, depuis le premier jour, depuis notre première rencontre. Ce soir-là, j'ai eu ce que l'on appelle le coup de foudre et je t'ai dévorée des yeux car j'avais peur que tu ne sois un mirage. Nous avons parlé et je t'ai raccompagnée en bas de chez toi et chaque fois qu'une minute passait je me disais que c'était une minute de gagnée car je pourrais peut-être ne plus te revoir.

— Clément, s'écria-t-elle...

Il l'interrompit.

— Non, Stéphanie, laisse-moi terminer, laisse-moi aller jusqu'au bout de mes confidences puisque tu as traversé le monde pour les entendre. Pendant quelques semaines, j'ai vécu comme dans un rêve. En te quittant le soir, je pensais déjà au moment où je prendrais le chemin de la place de la Sorbonne, pour t'attendre sur le banc en face de la porte. Dès ton arrivée, tu me racontais les événements de la matinée et nous allions terminer la soirée au cinéma ou dans un de ces bistrots tranquilles où le tête-à-tête est possible.

— Et puis il y a eu l'Égypte et c'est à partir de ce moment que tout a changé.

Il eut un petit rire.

— Tu renverses les rôles, Stéphanie. Moi, je n'ai pas changé. L'Égypte, il fallait que j'y aille. J'avais signé ce contrat avant de te connaître et il n'était pas question que j'y renonce. Et puis, je n'étais pas mécontent de partir, pour réfléchir. Je voulais faire le point sur nous, sur moi. Je peux te l'avouer aujourd'hui, chaque jour j'ai pensé à toi, chaque jour j'ai regretté de ne pas être à tes côtés.

— Mais alors, pourquoi ne pas m'avoir écrit ? Pourquoi ce silence pendant quatre mois ?

— Parce que je voulais réfléchir seul. Et même quand je suis arrivé à la conclusion que je t'aimais, je voulais te le dire de vive voix et non te le confier par lettre. Quatre mois de silence, ce n'est en définitive pas beaucoup quand il s'agit de décider de sa vie et je pensais que tu me pardonnerais de ne pas t'avoir donné des nouvelles.

— Alors, c'est à ton retour à Paris que tu as décidé de changer d'avis.

Il lui désigna un banc avant de répondre et ils prirent place tous les deux. Seuls les rires d'enfants qui jouaient non loin d'eux venaient rompre le silence.

— Tu as raison Stéphanie, c'est à mon retour à Paris que tout a changé. J'ai été très heureux que tu m'accueilles à Roissy mais c'est à ce moment que j'ai compris que rien ne serait plus comme avant. Et, le soir, dans ton studio, quand tu m'as parlé de ta nouvelle vie, je me suis dit que nos destins allaient s'écarter l'un de l'autre. J'étais sottement tombé amoureux d'une étoile. Tout nous éloigne à présent, nos préoccupations, nos manières de vivre. Et j'ai alors estimé qu'il valait mieux arrêter ce jeu qui ne pourrait que me rendre malheureux.

— Et moi, as-tu pensé à moi ?

Il prit un air contrit.

— J'avoue que ma première réaction a été égoïste. Ensuite, je me suis demandé si tu étais vraiment amoureuse de moi. Et j'ai conclu qu'il s'agissait de ta part d'une simple attirance pour un homme plus âgé que toi. Tu as vingt ans, Stéphanie, et j'en ai trente-cinq. Quinze années nous séparent, ce qui est beaucoup et je pense que tu as cherché inconsciemment en moi le père que tu as laissé à Jarnac et pour lequel, tu me l'as dit, tu as beaucoup d'affection.

— Mais enfin, qu'en sais-tu ? s'écria-t-elle avec vivacité. Comment peux-tu préjuger de mes sentiments ? Sur quoi te fondes-tu pour me dire tout cela ?

Il l'apaisa et demanda gentiment :

— Soit, Stéphanie. Je vais te poser une question toute simple et tu vas me répondre franchement. Es-tu amoureuse, vraiment amoureuse de moi ?

Elle resta interdite. Curieusement, elle n'avait

70

pas pensé qu'il pourrait lui poser cette question fondamentale aussi brutalement.

— Tu vois, reprit-il doucement. Tu es très embarrassée et tu hésites. Cela me suffit.

Elle se reprit.

— Pas du tout, dit-elle. M'aurais-tu crue si je t'avais répondu oui, sans réfléchir ? Tu aurais pensé que je suis une écervelée.

— Touché, dit-il.

Elle le regarda droit dans les yeux.

— Je crois que je suis amoureuse de toi, Clément. Quand tu m'as dit que nous ne devions plus nous voir, j'ai été peinée et furieuse. Crois-tu que je serais venu te chercher en Corée si je n'éprouvais pas de sentiments à ton égard ?

— Nous tournons en rond, Stéphanie. Tu es amoureuse comme on peut l'être à ton âge mais je doute que les sentiments que tu évoques soient profonds. Et je pense que, dans ta réaction qui t'a poussée à venir jusqu'ici, il y avait du dépit. Une femme jeune, très belle, courtisée, admirée accepte difficilement d'être abandonnée. Si tu avais davantage réfléchi, tu aurais compris que je te rendais à contre-cœur une liberté que tu n'avais pas encore aliénée pour te laisser vivre une autre existence qui semblait te plaire.

Malgré toutes ses résolutions, Stéphanie commençait à se mettre en colère.

— Tu as bien peu d'estime pour moi, répliqua-t-elle sèchement. Tu me prends décidément pour une de ces idiotes qui passent leur vie devant une glace à rectifier le dessin d'un sourcil et qui sont incapables d'éprouver des sentiments. De quel droit, s'il te plaît, me juges-tu ainsi ?

— Allons, calme-toi...

— Laisse-moi m'expliquer, coupa-t-elle avec vivacité. J'ai moi aussi des choses à dire. Peut-être ai-je eu tort d'arrêter mes cours à la Sorbonne. De toute manière, rien ne m'empêche de les reprendre si je le désire. Mais je me souviens t'avoir dit à plusieurs reprises que si j'avais accepté la proposition que m'avait faite Saint-André, c'était pour tenter une expérience. Je ne suis pas fascinée par le monde qui m'entoure. Mais il m'amuse et je m'y plais pour l'instant, je ne te le cache pas. Est-ce à dire que mon ambition est de continuer longtemps à évoluer devant des curieux en portant des robes qui ne m'appartiennent pas ? Non, bien sûr. Tu aurais dû le comprendre. Mais je reconnais que je ne souhaite pas tout abandonner pour le moment.

Le visage de Clément s'était fermé.

— Tu vois bien que nous tenons deux langages différents. Pour ma part, je n'ai guère envie de partager ton univers actuel.

— Eh bien, reste donc dans tes dessins et continue de vivre comme un loup solitaire, répondit-elle furieuse.

Elle se leva brutalement.

— Viens, il ne nous reste plus qu'à rentrer.

Clément était désemparé. Ne laissait-il pas passer la chance de sa vie ? Tout à coup, il mesura le chagrin qu'il éprouverait s'il ne devait plus jamais la revoir. En arrivant quelques jours auparavant à Séoul, il s'était habitué à l'idée que

72

tout était fini entre eux mais de l'avoir revue l'avait bouleversé. Il aimait Stéphanie. Il savait à présent qu'une rupture définitive lui serait insupportable. Mais, alors qu'il était prêt à demander grâce, il vit sur son visage qu'il serait difficile de remonter la pente. En la repoussant, il comprit qu'il l'avait blessée et que lorsqu'il lui avait demandé brutalement si elle était amoureuse de lui, elle avait mal accepté d'être poussée dans ses derniers retranchements.

— Stéphanie, nous ne pôuvons pas nous quitter ainsi. Soit, laissons faire le temps, il accomplit parfois des miracles. Je t'invite à déjeuner dans un restaurant coréen. Il y en a un à l'entrée du parc qui m'a été chaudement recommandé à l'hôtel.

Plantée à quelques mètres de lui, Stéphanie hésitait. En regardant son visage, Clément comprit qu'elle était en proie à un violent débat intérieur. Et puis, elle se tourna vers lui. En apparence, elle semblait sereine.

— Bien, dit-elle.

Ils gagnèrent l'entrée du parc et traversèrent la place. Lorsqu'ils ouvrirent la porte, le patron du restaurant se précipita à leur rencontre et les fit asseoir à une table près de la fenêtre. Il leur tendit une carte à tout hasard mais il comprit à leurs mimiques qu'ils ne lisaient pas le coréen. Alors il leur fit signe de patienter pour leur faire comprendre qu'il allait composer leur repas. Trois serveuses habillées de jolies jupes coréennes apportèrent une multitude de plats qu'elles posèrent sur la table. Clément, qui avait été invité à déjeuner trois jours auparavant par un fonctionnaire, en reconnut quelques-uns. Il y avait des légumes sans lesquels, pour un Coréen, un repas n'est pas digne de ce nom. C'est-à-dire des choux chinois et de gros navets fermentés et épicés que chaque famille prépare pour l'année vers le milieu de l'automne. Et puis du pulgogi, fines tranches de bœuf que le patron mit à cuire sur un brasier alimenté au charbon de bois après les avoir fait mariner dans un mélange de sauce de soja, de sésame et d'épices. Enfin, il leur servit un mélange de légumes, d'œufs et de viande qui cuisait doucement sur la table dans un gracieux récipient.

Stéphanie fut au début réticente. Mais, encouragée par Clément qui lui donnait l'exemple, elle plongea avec maladresse ses baguettes et fut agréablement surprise par la finesse des plats. Le patron qui attendait leur réaction avec inquiétude fut rassuré et retourna en cuisine. A nouveau seuls, les deux jeunes gens purent reprendre leur conversation. Mais un fil avait été cassé. La joie qu'ils avaient eu de se retrouver le matin à l'hôtel Plaza avait disparu. Tous deux semblaient graves, un peu ailleurs.

« Je viens de la perdre une seconde fois », se dit Clément.

Ils bavardèrent de chose et d'autre et il lui fit part des difficultés qu'il rencontrait pour se rendre à Pusan. Mais elle semblait écouter d'une oreille distraite. Manifestement, elle n'était pas à la conversation.

— Fâchée ? demanda-t-il soudain.

Elle posa sur lui un regard froid.

— Déçue, répondit-elle.

— Je fais amende honorable, reprit-il. Peut-être que j'ai été fou d'avoir peur de t'aimer, peur de ne pas être payé en retour. Dis, tu veux bien que l'on reparte à zéro ? C'est encore possible.

Elle secoua la tête.

— J'en doute, répondit-elle. Il y a en moi quelque chose de brisé.

Il commit une maladresse.

— J'avais donc raison de douter de tes sentiments à mon égard. Si tu m'avais aimé vraiment, tu ne m'aurais pas fait cette réponse.

Elle eut un regard dur.

— Je te croyais plus fin que cela, Clément. C'est trop facile à présent de me faire porter la responsabilité de notre rupture. Pendant près de deux heures, tu m'as expliqué que nous n'étions pas faits pour vivre ensemble parce que je menais une vie d'idiote. Aussi, ne viens pas me faire de reproches et cesse d'évoquer mes sentiments.

— Tu as raison, dit-il avec tristesse. J'ai dit des sottises. Allons, cessons de nous quereller.

Ils firent signe au patron qui guettait derrière son comptoir pour qu'il leur apporte l'addition. Dans la rue, ils clignèrent des yeux tant la lumière était forte.

— Que veux-tu faire ? demanda-t-il.

— Marchons, dit-elle. J'espère que cela nous changera les idées.

Ils flânèrent dans les rues. Stéphanie avait posé sur son nez de grosses lunettes noires, comme si elle voulait abriter son regard afin que Clément ne pût lire ce qu'elle ressentait. La jeune fille était partagée entre la fureur et la tristesse. Fureur après lui mais aussi après elle-même car elle avait commis elle aussi une fausse manœuvre. Comment n'avait-elle pas compris plus tôt que la pseudo-indifférence affectée par Clément cachait en fait une passion contenue ? Elle avait traité à la légère cette répulsion de l'architecte pour la nouvelle vie qu'elle avait choisie parce qu'elle avait pensé qu'il s'agissait d'un caprice. Oubliant qu'il n'était pas un gamin comme il le lui avait rappelé en soulignant leur différence d'âge.

Avait-elle sincèrement essayé de le comprendre ? Avait-elle vraiment étudié ses objections ? Elle n'avait pas mis en balance les préoccupations d'un homme qui avait tracé son existence et qui avait du mal à s'écarter de la voie qu'il avait choisie. Depuis quelques semaines, elle le reconnaissait, elle avait avant tout pensé à elle et balayé avec une certaine insouciance les objections qu'il formulait. Là avait été son erreur dans la mesure où elle était éprise. Mais l'était-elle vraiment, ou plutôt, à quel point ?

La même question revenait sans cesse. Tout dépendait en définitive de ses propres sentiments envers Clément. Et, bien entendu, il avait vu juste lorsqu'il avait mis en doute leur profondeur. « Tu es amoureuse comme on peut l'être à ton âge », avait-il dit. Et il n'avait pas eu tort lorsqu'il avait fait référence à son père qu'elle adorait. « Mais, se dit-elle, n'en est-il pas de même pour toutes les femmes ? Dans les sentiments qu'elles éprouvent à l'égard d'un homme, n'y a-t-il pas également ce désir d'être rassurée, d'être protégée ? Il avait évoqué leur différence d'âge. Mais avait-elle vraiment de l'importance ? » Elle conclut par la négative. Ce qui lui faisait peur, ce n'était pas les quinze années qui les séparaient, c'était de s'enfermer à vingt ans dans un schéma tracé d'avance, et dont elle connaissait déjà toutes les étapes. C'était renoncer, à peine sortie de l'adolescence, à des joies peut-être futiles mais qu'elle voulait connaître avant de les rejeter.

« Pour lui, les choses sont simples. Ces joies, il les a connues. Pourquoi ne veut-il pas comprendre que cela ne durera guère. Que bientôt je serai lasse de ma nouvelle existence. Ce que je lui demandais au fond, c'était de faire preuve de patience. De toute manière, il est maintenant trop tard. Il m'a repoussée une deuxième fois. A présent, il le regrette mais c'est lui qui a choisi. Je crois sincèrement être amoureuse de lui mais je refuse de le supplier. Repartir à zéro comme il me l'a demandé ? Je doute que cela soit possible. Je vais à présent tâcher de l'oublier. »

Stéphanie avait le cœur serré en songeant à l'avenir. Elle était trop lucide pour faire comme l'autruche qui met sa tête dans le sable. Oublier Clément serait difficile. Quoiqu'elle eût voulu parfois s'en défendre, l'architecte avait pris une certaine place dans sa vie. Souvent, elle s'était dit à propos de tel ou tel événement : « Tiens, qu'en penserait Clément ? », l'associant ainsi à son existence, tant personnelle que professionnelle. Comment allait-elle s'y prendre à présent pour gommer de son esprit et de son cœur la place qu'il y avait prise ?

Dans son studio du quai Voltaire, elle avait accroché sur un mur transformé en cimaise, juste à l'aide de punaises, des photographies d'eux. Elles avaient été prises un jour dans le parc de Saint-Cloud par un de leurs amis qui voulait étrenner un Leica acheté la veille. Ils s'étaient amusés à poser, comme sur les vieilles cartes postales que l'on peut acheter dans les foires de province. Elle les avait fait agrandir en format 30 × 40 et elles constituaient un petit film. Sur l'une, leurs mains se joignaient et ils se regardaient droit dans les yeux avec aux lèvres un léger sourire ; sur une autre, il ouvrait grand les bras avec emphase et elle faisait mine de s'y précipiter ; une troisième les représentait, joue contre joue, regardant l'objectif avec des yeux énamourés. Derrière eux, on apercevait les arbres, dénudés par l'hiver.

— Il faudra que je songe à les enlever, dit-elle sottement.

Clément se tourna vers elle sans comprendre. Elle réalisa soudain qu'elle avait parlé à voix haute et que sa réflexion était sibylline. Elle prit un air confus pour s'excuser.

— Ne fais pas attention, Clément. Ce que je disais était très personnel.

Mais, comme elle avait rompu le silence, son compagnon profita de l'occasion.

— Combien de temps devez-vous rester en Corée pour les collections ? demanda-t-il.

— Jusqu'à la fin de la semaine. Après Séoul, nous nous rendons à Pusan puis nous reviendrons dans la capitale avant de prendre l'avion pour Tokyo.

— Pusan ? répéta-t-il étonné.

Elle eut un sourire légèrement sarcastique.

— Eh oui, Pusan. Tu vois mon cher Clément, je te poursuis encore. Mais, rassure-toi, je ne t'y importunerai pas, tu peux compter sur moi.

Il n'apprécia guère la réflexion.

— Ce que tu viens de dire est une méchanceté gratuite, Stéphanie. Notre désaccord ne doit pas nous conduire à nous ignorer, voire à nous haïr. Même si nous renonçons à vivre ensemble, cela ne nous empêche pas de rester de bons amis à l'avenir.

Elle parut ne pas entendre. Ils étaient arrivés à un grand carrefour et ils durent patienter quelques minutes avant de pouvoir traverser. La chaleur était légèrement tombée, et marcher devenait plus agréable. Lorsqu'ils furent arrivés de l'autre côté du boulevard, Clément sortit de sa poche le plan de la ville qu'on lui avait donné à l'hôtel. Il fut rassuré, la direction qu'ils avaient prise était la bonne. Avec amusement, ils s'effacèrent pour laisser passer une trentaine d'enfants, tous vêtus d'une manière identique, qui se dirigeaient vers le parc. Leur visage était grave et leur sens de la discipline les faisait marcher d'un pas égal derrière leur monitrice.

— Tu as parlé d'amitié, dit tout à coup Stéphanie en jetant un regard vers Clément. Crois-tu sincèrement qu'elle serait possible entre un homme et une femme qui ont éprouvé des sentiments l'un pour l'autre ? Pour ma part, j'en doute. Arrivera le moment où l'un de nous voudra la faire basculer pour créer d'autres liens.

— Et cela te fait peur ?

— Malgré l'image que tu sembles vouloir m'accoler, je suis une fille qui aime la stabilité, la solidité. Sans doute dois-je cela à mes origines provinciales, à mon éducation, au fait que mes parents m'ont donné l'exemple. Je ne suis pas mûre pour l'aventure sur le plan sentimental. Il me semble qu'il me manquerait toujours quelque chose.

Elle rectifia.

— En tous les cas, je l'ai refusée jusqu'à présent et j'espère que je continuerai à le faire.

Et comme Clément marchait près d'elle sans dire mot :

— Pour me résumer, reprit-elle, j'estime que lorsqu'un homme et une femme se plaisent, qu'ils sont amoureux, ce sentiment réciproque doit les conduire au mariage.

— Mais c'est peut-être ce que je voulais t'offrir, s'écria-t-il.

— Sans doute Clément, mais tu as été trop pressé. Dois-je te répéter encore une fois qu'au lieu de poser des conditions, tu aurais dû me laisser seule choisir mon mode de vie au lieu de vouloir à tout prix me l'imposer ? Qu'est-ce que je te demandais au fond ? Le temps d'un entracte entre ma vie de petite provinciale et celle de femme mariée qui m'est promise comme aux autres. Mais tu n'as pas voulu.

Il était retombé dans son mutisme mais elle savait qu'il l'écoutait avec attention.

— Tu as estimé que cet entracte était inutile et tu as eu tort. Cela t'obligeait à composer pendant un temps et dérangeait tes habitudes.

Mais je me disais que tu serais assez intelligent pour faire preuve de patience. Cette envie que j'ai de vivre un temps dans un monde fou, amusant, mais aussi léger et futile je le reconnais, me serait passée bien vite, comme une rougeole. Tu ne l'as pas voulu ainsi et moi, bien entendu, je me suis obstinée. De cette incompréhension mutuelle viennent nos malheurs.

— Tu estimes donc que nous avons définitivement laissé passer notre chance ?

Elle eut un sourire triste.

— Je le crains, Clément, répondit-elle doucement. Peut-être sommes-nous appelés à nous retrouver un jour. Mais j'en doute. Je n'ai pas encore une très grande expérience de la vie mais il est rare qu'elle nous offre une deuxième chance.

— Et si tu étais pessimiste, intervint-il. Et si cette brouille qui nous oppose était en fait la pause que tu souhaitais ?

— Mais ne comprends-tu pas Clément qu'il y a aujourd'hui quelque chose de cassé ? Rien ne pourrait plus être comme avant. Nous nous sommes mis, qu'on le veuille ou non, sur des routes parallèles.

Elle avait élevé la voix et des passants dévisagèrent le couple avec curiosité. Sur le visage de la jeune fille, l'amertume le disputait à la colère. Clément, pour sa part, était de fort méchante humeur.

— Je trouve que tu vas vite en besogne, répliqua-t-il. Julien Biron ne serait-il pas pour quelque chose dans ta décision de rompre définitivement ?

Elle se mit en colère.

— Je t'interdis d'inventer ce prétexte pour tenter de te disculper. Il est vrai que je refuse maintenant de revenir en arrière. Mais tu oublies que c'est toi qui es responsable du chassé-croisé de nos sentiments. Ne m'as-tu pas un soir, chez Georges, déclaré qu'il fallait rompre ? Est-ce toi ou est-ce moi qui est venu en Corée pour fuir ? Aussi, mettre en avant la personne de Julien Biron est trop facile. Ta jalousie me paraît ridicule. N'oublie pas que je l'ai rencontré hier pour la première fois.

— Tu semblais pourtant le trouver à ton goût lors du cocktail à l'ambassade.

— Assez, Clément, cria-t-elle.

Il comprit qu'il était allé trop loin. Alors, il posa la main sur son épaule pour l'apaiser.

— Viens, petite, je vais te raccompagner à l'hôtel.

Il s'apprêtait à héler un taxi lorsqu'elle l'arrêta d'un geste.

— Un instant, Clément, j'aperçois une banque. Il faut absolument que j'aille changer des chèques de voyage.

Ils se dirigèrent vers l'établissement qui n'était qu'à quelques mètres et poussèrent la porte. C'est alors que le drame éclata.

5

— Pardonnez-moi de vous déranger, monsieur l'ambassadeur. Pourriez-vous me recevoir un instant ?

Jacques Franchant leva les yeux du document qu'il était en train d'étudier. Il aperçut l'attaché culturel qui se tenait dans l'embrasure de la porte.

— Entrez Biron, entrez. Je n'en ai plus que pour deux minutes. Prenez une chaise.

L'ambassadeur termina sa lecture puis, posant le document sur la table, il s'adressa à Biron.

— Alors, que puis-je pour vous.

Le jeune homme semblait embarrassé. Il cherchait ses mots.

— Voilà, monsieur l'ambassadeur. A voir l'engouement des Coréens, je pense que la tournée de Claude Saint-André va être un immense succès. Il serait souhaitable, à mon avis, que l'ambassade patronne totalement ces manifestations et que vous vous rendiez à l'une des présentations.

— Je le leur ai promis. Venez au fait mon jeune ami.

— Si vous n'y voyez pas d'inconvénient, je vais les accompagner aussi à Pusan et...

— Vous désirez leur tenir compagnie également au Japon. Je vous vois venir.

— Comment avez-vous deviné ?

— Peut-être que je n'ai pas les yeux dans ma poche. Hier soir, au cours de la réception, il m'a semblé que le mannequin vedette ne vous laissait pas indifférent puisque vous ne l'avez pas lâchée de la soirée. Est-ce que je me trompe ? ajouta-t-il d'un air narquois.

Il s'amusa en voyant l'air confus de Julien.

— Au fait, comment s'appelle-t-elle déjà ?

— Stéphanie Morel.

— Elle est ravissante, cette jeune femme. De plus, elle a oublié d'être sotte. Mais j'avais cru comprendre qu'elle éprouvait une certaine sympathie, dirons-nous, pour cet architecte, Clément Durot.

Comme Julien Biron ne répondait pas, l'ambassadeur poursuivit.

— Intéressant ce garçon. J'aimerais bavarder davantage avec lui. Songez à l'inviter à dîner ce soir. Je voudrais le voir avant qu'il ne parte pour Pusan.

— Je vais m'en occuper tout de suite.

Il revint à la charge.

— Vous me donnez donc le feu vert ?

— Oui, vous dis-je. Allez donc à Pusan et au Japon avec la troupe. Je vous confierai sans doute un pli pour notre ambassade de Tokyo.

Biron sortit du bureau tout heureux. Pendant près de quinze jours, il allait donc pouvoir vivre dans l'ombre de Stéphanie, mettre ses pas dans les siens. Dieu, qu'elle lui plaisait ! Dès qu'il l'avait vue à son arrivée à l'aéroport, il était tombé sous le charme. Elle avait descendu la passerelle avec grâce, souriante sous les flashes, et la pureté de son visage l'avait saisi. Ses magnifiques yeux noirs protégés par des cils d'une longueur inhabituelle s'étaient posés sur lui alors qu'il se présentait.

— Julien Biron, dit-il. Je viens vous accueillir au nom de l'ambassadeur.

Elle avait tendu la main avec un léger sourire mais la conversation s'était arrêtée là. Claude Saint-André débarquait à son tour avec son état-major et accaparait l'attaché culturel qui lui annonçait que toute la troupe était attendue à l'ambassade pour une réception. Dans le brouhaha qui avait suivi et pendant que les commanditaires coréens s'occupaient de faire décharger les malles, Julien n'avait pu approcher à nouveau Stéphanie. Mais il marqua un point lorsque vint le moment d'embarquer tout le monde vers Séoul après que Saint-André eut terminé sa conférence de presse. Il avait réussi à s'asseoir dans la même voiture que la jeune fille.

— Je suis très heureux de vous avoir accueillie, dit-il. Est-ce la première fois que vous venez en Corée ?

D'être près de Stéphanie l'émouvait au point qu'il ne pouvait proférer que des banalités.

Elle le regarda d'un air ironique.

— Question intéressante, répondit-elle en se moquant. Eh bien, oui, c'est la première fois que je viens ici. Je ne connais pas le Japon non plus et je suis ravie de ce voyage.

— Pardon, bafouilla-t-il. Mais, d'une manière générale, les personnes que je viens accueillir à l'aéroport sont loin d'avoir votre charme. Jamais mission aussi agréable ne m'a jamais été confiée. Aussi, vous comprenez sûrement mon émotion toute légitime ?

Elle ne répondit pas et regarda par la fenêtre. Ils pénétraient dans Séoul et la voiture stoppa bientôt devant l'hôtel. Les autres étaient juste derrière eux. Julien descendit précipitamment et rassembla tout le monde.

— Avant que vos chambres ne vous soient attribuées je voulais vous rappeler que vous êtes tous invités à l'ambassade dans une heure. Rendez-vous donc dans le hall dans, mettons, trente minutes. Cela vous laisse juste le temps, et je m'en excuse, de vous rafraîchir.

Tout le monde s'égailla sauf Stéphanie. Elle s'approcha de Julien Biron et le prit à part.

— Monsieur Biron, j'ai un service à vous demander.

— Tout ce que voulez. Mais je vous en prie, rendez-moi un service à votre tour. Appelez-moi Julien.

— Soit. Eh bien voilà, Julien, pendant que je monte dans ma chambre, je souhaiterais que vous trouviez l'adresse d'un de mes amis. Il s'appelle Clément Durot et se trouve actuellement à Séoul.

Il la regarda, stupéfait.

— A ma connaissance, l'ambassade n'a pas été tenue au courant de son arrivée ici. Com-

86

ment voulez-vous que je le trouve ? Cela ne va pas être commode.

— Téléphonez aux hôtels, dit-elle d'un ton insouciant. Comme il est invité par le gouvernement coréen, il ne doit pas être difficile de le trouver. Et, je vous en prie, lorsque vous l'aurez, demandez-lui de venir tout à l'heure à votre réception. Je ne pense pas que l'ambassadeur y verra un inconvénient ?

— Sûrement pas, bredouilla Julien. Je vais m'y mettre tout de suite.

Il la regarda disparaître dans un ascenseur puis il bondit sur un téléphone. Il repéra les adresses des principaux palaces de la capitale dans un annuaire et commença sa quête. Au troisième coup de fil, il eut de la chance. Clément Durot, lui répondit-on, est bien descendu à l'hôtel Plaza mais il n'est pas dans sa chambre pour l'instant. Fallait-il lui communiquer un message ? Biron demanda à la standardiste de prier Clément Durot de le rappeler à l'ambassade. Il s'approcha, triomphant, de Stéphanie qui revenait dans le hall.

— Je l'ai trouvé, dit-il à la jeune fille.

— Merci Julien, vous êtes décidément un ange. Où est-il descendu ?

— A l'hôtel Plaza.

Elle se dirigea vers le téléphone mais il l'arrêta.

— Non, non, c'est inutile. Il n'est pas à l'hôtel. Mais je lui ai laissé un message. Il nous rappellera tout à l'heure à l'ambassade.

— Parfait Julien. Eh bien, il ne nous reste

plus qu'à nous y rendre. Où est Claude Saint-André ?

La jeune fille était à présent impatiente de quitter l'hôtel. Elle craignait de manquer l'appel de Clément. Elle voulait à tout prix le voir le soir même.

— Ici, ici, s'écria le couturier qui comptait les membres de sa troupe.

Julien eut moins de chance cette fois-ci. Stéphanie s'installa d'autorité dans le petit car qu'avait loué l'ambassade. Pour se consoler, il se dit que le voyage serait de courte durée et qu'il allait bientôt la retrouver. Mais quelque chose le tracassait. Le destin lui donnait l'occasion de faire la connaissance d'une fille merveilleusement belle et voilà que son bonheur était gâché par l'existence de ce Monsieur Durot qui, de surcroît, se trouvait à Séoul. Qui cela pouvait-il être ? Un ami, seulement, qu'elle était contente de revoir ? Un fiancé ? En réfléchissant, il se souvint qu'elle avait semblé assez décontractée en lui demandant d'effectuer des recherches. Aussi, peut-être avait-il une chance. « Sait-on jamais », se dit-il en rectifiant inconsciemment le nœud de sa cravate club qui s'étalait sur un complet de gabardine clair et en passant une main dans ses cheveux pour en vérifier l'alignement. Il se sentit subitement tout heureux. Allons, la vie était belle, Stéphanie était fascinante et la soirée s'annonçait comme devant être très intéressante. Quand à ce Clément Durot qui allait peut-être jouer les trouble-fête, on verrait bien.

Près de lui, Claude Saint-André arborait à son

habitude un air béat. A l'aéroport, lors de leur arrivée, les Coréens qui l'avaient invité s'étaient montrés déférents et charmants et l'ambassadeur était un diplomate qui savait vivre. « Voilà une tournée qui se présente sous les meilleurs auspices », se dit-il. Il jeta un regard en coin sur l'attaché culturel. Son manège à l'aéroport ne lui avait pas échappé.

— J'ai une requête à vous présenter, monsieur Biron. C'est à propos de Stéphanie Morel.

Julien fut tout de suite attentionné.

— Je vous en supplie, soyez très aimable avec elle. Elle est mon mannequin vedette et la réussite de la présentation dépend d'elle en très grande partie.

Biron fut surpris.

— Pourquoi me dites-vous cela ?

— Stéphanie est une jeune fille qui ne passe pas inaperçue où qu'elle soit. Ah, si vous aviez vu l'engouement des Parisiens il y a quelques jours ! Cela fut une journée fantastique, une des plus belles présentations que j'aie jamais connues. J'en suis encore tout ému.

Il regarda l'attaché culturel.

— Il m'a semblé que vous étiez très intéressé par Stéphanie. Je le comprends fort bien mais je vous en prie, que rien ne vienne troubler cette tournée.

Julien piqua un fard. Il n'arrivait pas à cacher l'effet que lui faisait la jeune fille.

— Vous pouvez être rassuré, dit Julien.

Saint-André agita la main dans un geste d'apaisement.

— C'est bon, c'est bon. N'en parlons plus.

Clément avait poussé la porte de la banque et il s'était effacé.

— Attention, hurla Stéphanie.

La main de la jeune fille s'était agrippée à son bras avec une force extraordinaire et il sentit les ongles à travers le tissu de sa veste. L'affreux spectacle qui avait motivé le cri de la jeune fille lui sauta à la figure. En face d'eux, un homme les menaçait d'un gros revolver muni, lui sembla-t-il, d'un silencieux. Son visage était recouvert d'un bas ce qui lui donnait l'air grimaçant. Tous les clients de la banque étaient collés au mur et ils avaient croisé leurs mains derrière la tête. Deux autres gangsters avaient sauté pardessus le comptoir. L'un d'eux tenait les employés de la succursale en respect pendant que son complice puisait dans le coffre grand ouvert et remplissait un gros sac à provision. Mais ce que Stéphanie avait aperçu en premier, c'était un homme étendu à terre et qui gémissait en se tenant l'épaule d'où s'échappait du sang. Le hold-up avait commencé deux à trois minutes avant leur entrée.

En voyant le couple d'Européens pénétrer dans la banque, l'homme qui tenait les clients en respect eut un geste de surprise. Puis il leur intima l'ordre de rejoindre les autres contre le mur. Clément prit le bras de Stéphanie et l'aida à faire les quelques mètres qui les séparaient des autres. Le visage de la jeune fille était décomposé. Elle avait du mal à se remettre du choc qu'elle avait ressenti en étant brutalement confrontée à l'horreur.

— Surtout, obéissons strictement à ses ordres, murmura Clément. Il a l'air très nerveux.

L'homme avait entendu et il hurla un ordre. L'architecte comprit qu'il leur ordonnait le silence. Il se plaça devant une fenêtre qui donnait sur une cour et, grâce à ce miroir improvisé, il put suivre les événements. Les deux gangsters avaient terminé de remplir le sac avec les dollars coréens et les devises que contenait le coffre. Ils se mirent alors à parler à l'homme qui montait la garde. Ce dernier, qui semblait être le chef, désigna Stéphanie et Clément, et ce dernier eut le sentiment qu'il voulait les prendre comme otages pour protéger leur fuite. Il eut la gorge nouée par l'angoisse en songeant à Stéphanie.

Mais les événements se précipitèrent tout à coup. Armés de mitraillettes, trois policiers firent irruption dans la banque et se mirent à tirer. Pendant trente secondes, il y eut un échange assourdissant de coups de feu et une violente odeur de poudre les suffoqua. Puis ce fut soudainement le silence. Hachés par les rafales, les gangsters gisaient sur le sol.

Clément poussa un soupir de soulagement et remercia silencieusement les policiers. Sans eux, ils allaient être embarqués dans une aventure qui aurait pu se terminer tragiquement. Il apprit plus tard qu'un des policiers avait été intrigué par une voiture qui stationnait en un lieu interdit et dont le chauffeur gardait le moteur en marche. En s'approchant, il avait aperçu une arme et il avait tout de suite compris. Le temps de neutraliser le bandit et de chercher du renfort, et ils avaient fait irruption.

L'architecte soutenait Stéphanie qui semblait au bord de l'évanouissement. Par un extraordinaire effort de volonté, elle réussit à garder ses esprits pendant que les couleurs revenaient sur ses joues. Elle avait eu atrocement peur. Autour d'eux, tout à coup, il y eut plein de monde. Des policiers en armes mais aussi des infirmiers qui apportaient les premiers soins à l'homme qui avait été blessé. Dieu merci, la blessure était légère, la balle avait seulement touché le gras de l'épaule.

Un civil approcha d'eux et montra une carte. Clément comprit qu'il s'agissait d'un policier qui souhaitait les interroger. Soudain, ils furent éblouis par les flashes des photographes qui avaient obtenu l'autorisation de pénétrer dans la banque. L'un d'eux, qui avait accueilli la troupe de Saint-André à son arrivée, avait reconnu Stéphanie et il avait passé le mot à ses confrères. Il fallut que Clément demandât au commissaire de police de les écarter pour qu'ils aient la paix. Mais ils ne purent éviter de répondre aux journalistes de la télévision qui les interviewaient en direct.

— Viens, filons, lança Clément à Stéphanie dès que l'interrogatoire du policier fut terminé.

Ils hélèrent un taxi et l'architecte donna l'adresse de l'hôtel de Stéphanie. Elle était à présent remise de ses émotions.

— Pendant qu'il nous menaçait de son arme, notre querelle m'a paru bien futile, dit-elle tout d'un coup.

Il lui serra affectueusement la main.

— J'ai eu très peur pour toi, ma chérie. Il ne fallait surtout pas attirer son attention car il paraissait très nerveux et j'ai eu peur que tu ne t'évanouisses.

— J'ai bien failli, avoua-t-elle. Aussi, j'ai tenté de penser à autre chose et j'ai déroulé comme dans un film des images de mon enfance à Jarnac.

Il se pencha vers elle.

— Stéphanie, ma chérie, ce choc peut être salutaire pour nous deux. Oublions donc ce qui nous sépare. Pendant ce drame, j'ai mesuré l'amour que j'éprouvais pour toi et je t'ai sentie très près de moi. Donnons-nous une nouvelle chance, je t'en prie.

— C'est vrai, Clément, que pendant cette scène, je n'ai pas seulement pensé à Jarnac. J'ai aussi pensé à toi.

— Alors ?

— Non, Clément. Les choses ne peuvent pas être aussi simples. Au cours de notre conversation dans le parc ce matin, j'ai compris que nous n'étions pas mûrs pour vivre ensemble et qu'il nous fallait prendre du recul.

Et comme il faisait un geste :

— Si, si, j'insiste. La déception que tu as éprouvée en revenant du Caire de ne pas retrouver la petite étudiante que tu avais connue a été trop forte. De fait, j'ai changé. Il faut que je m'habitue à cette nouvelle peau et si, un jour, nous nous retrouvons et que nous décidons de vivre ensemble, c'est que tu auras consciemment accepté ma métamorphose parce qu'elle te paraîtra naturelle et non sous la pression des événements ou par peur de me perdre. Ce sera un libre choix que nous ferons l'un et l'autre pour éviter que bien vite, les nuages ne viennent assombrir notre amour. Ce jour arrivera-t-il ? Je ne le sais.

Et comme son visage devenait grave, elle ajouta :

— Ne sois pas triste, Clément. Il te faut apprendre la patience. Bientôt tu seras plongé dans ton travail et tout cela te paraîtra peut-être secondaire. Peut-être même m'oublieras-tu ?

— Jamais, s'écria-t-il. N'as-tu donc pas compris que je t'aimais profondément ? Pensais-tu vraiment, me connaissant, qu'il pouvait s'agir d'une passade ?

Au fond d'elle-même, elle ne le croyait pas. Mais il ne fallait surtout pas qu'elle cède. Elle répéta simplement.

— Sois patient.

Le taxi arriva à l'hôtel et ils aperçurent une foule de gens qui se pressaient devant le perron et qui les attendaient. Parmi eux, au premier rang, son amie Christine, Claude Saint-André et Julien Biron. Tous avaient regardé son interview en direct à la télévision au cours de laquelle elle avait expliqué en anglais les circonstances du hold-up.

Claude Saint-André se précipita vers elle pour l'aider à descendre.

— Ma petite Stéphanie ! Ah, j'en tremble encore. Cela a dû être affreux.

Elle s'appuya sur son bras.

94

— Tu veux sans doute aller te reposer dans ta chambre ?

— Mais non, Claude, tout va bien à présent. En revanche, j'accepterais volontiers de boire un verre. Tout cela m'a donné très soif.

D'autorité, il se fraya un passage dans la foule et la conduisit vers le bar. Elle voulut se tourner vers Clément pour lui dire au revoir mais le couturier ne lui en laissa pas le temps. Elle eut un petit pincement au cœur en le voyant s'éloigner à pas lents, le visage triste.

— Ma chère Stéphanie, je vous plains d'avoir vécu des incidents aussi tragiques.

Julien Biron s'était installé sur une chaise en face de Stéphanie. Il lui tapota la main.

— L'ambassadeur m'a aussitôt prié de venir prendre de vos nouvelles, ajouta-t-il. Dieu merci, vous êtes saine et sauve. Puis-je faire quelque chose pour vous ?

— Je vous remercie, Julien, tout va bien à présent. Et remerciez l'ambassadeur. Je crois que je n'aurai pas de mal à m'endormir ce soir.

— Oui, mais après la réception, s'inquiéta Claude.

— Quelle réception ?

— Celle de nos commanditaires coréens.

— Je crois Claude que vous allez devoir vous passer de ma présence.

Le couturier leva les bras au ciel.

— Tu ne peux pas nous faire ça, gémit-il. Tout Séoul sera présent au cocktail de ce soir. Surtout après cette publicité fantastique que t'a faite la télévision.

Les yeux de la jeune fille devinrent encore plus noirs que d'habitude.

— Vous ne croyez pas que vous exagérez, dit-elle à l'adresse de Saint-André. J'assiste à un fait divers dramatique, je manque d'être prise en otage et la seule chose qui vous vient à l'esprit c'est de parler de publicité. Je ne vous pensais pas intéressé à ce point.

— Pardon, ma petite colombe, supplia Saint-André. Je ne sais plus où j'ai la tête. Tous ces événements m'ont terriblement troublé. J'admire le sang-froid dont tu fais preuve et je le disais tout à l'heure à Julien Biron en t'écoutant répondre aux journalistes. N'est-ce pas Julien ?

Stéphanie eut un geste agacé.

— Assez, Claude, vous me fatiguez. Pour éviter de vous voir prendre un air de martyr pendant toute la durée de la tournée, je viendrai à la réception. Mais, à deux conditions : la première, c'est que vous me laissiez me reposer un peu, la seconde, que vous invitiez Clément Durot.

— Tout ce que tu veux. Commande, et tu seras obéie, répondit-il avec emphase.

— C'est impossible, intervint Julien Biron qui ne cachait pas sa satisfaction. M. Durot dîne ce soir chez l'ambassadeur de France.

Stéphanie fut profondément déçue. Ainsi, elle ne reverrait pas Clément dans la soirée. Elle s'en voulait terriblement de l'avoir quitté de façon brutale. Elle aurait voulu tempérer ce que ses derniers propos dans le taxi qui les ramenait vers l'hôtel pouvait avoir de désagréable. Aurait-elle l'occasion de le revoir à Pusan, avant ou après la présentation de samedi ? Elle savait la difficulté qu'elle aurait de quitter le groupe pour faire une incursion solitaire dans la ville.

Le couturier s'en alla et elle resta seule avec Julien Biron.

— Ma chérie, je suis encore tout ému en pensant à ce que vous avez vécu.

Elle le remercia d'un sourire pour sa sollicitude. L'attaché culturel poursuivit :

— Je suis très heureux.

Et comme elle le regardait, surprise :

— L'ambassadeur m'a autorisé à vous accompagner non seulement dans le sud de la Corée mais également au Japon. Il a estimé que l'importance de la tournée justifiait la présence d'un membre de l'ambassade.

— Même au Japon ? souligna-t-elle avec ironie.

Il eut l'air embarrassé.

— Je lui ai demandé ce supplément pour convenances personnelles. Depuis hier soir, je ne pense qu'à vous. Je suis amoureux de vous Stéphanie.

— Allons Julien, je ne pense pas que ce soit le moment de vous lancer dans de grandes déclarations. La journée a été assez mouvementée comme cela. Nous reprendrons cette conversation à un autre moment si vous le voulez bien. De toute manière, il faut que j'aille me préparer pour la réception puisque j'ai promis à Claude de m'y rendre. Pourvu que l'on ne m'oblige pas à raconter une nouvelle fois ma mésaventure de cet après-midi...

— Je tâcherai d'écarter les importuns.

— Merci Julien, je sais que je peux compter sur vous. Votre aide sera la bienvenue. Je me sens tout à coup assez fatiguée.

Elle se leva et se dirigea vers l'ascenseur. Après avoir demandé au service du réveil de l'appeler vers huit heures du soir, elle s'étendit sur son lit. Plus que tout le reste, c'était sa grande explication avec Clément qui l'avait brisée. Elle se souvint de l'espoir qui l'habitait à Paris lorsqu'elle avait décidé de partir à son tour pour la Corée afin de retrouver l'architecte. Elle était sûre à ce moment de persuader Clément et, en définitive, c'était elle qui avait choisi de rebrousser chemin devant le gué. Elle était trop fatiguée pour tenter de comprendre ce qui, très exactement, avait provoqué ce revirement. Pourtant, lorsqu'ils avaient commencé leur promenade dans le parc, elle pensait que tout restait possible. Mais ils s'étaient heurtés très vite et leur conversation avait eu l'effet inverse.

Elle sombra dans un sommeil profond.

6

— Cher monsieur Durot, entrez, entrez donc. Je vous attendais avec impatience.

Kim Chung Shik arborait aux lèvres un grand sourire en accueillant l'architecte qui venait de pénétrer dans son bureau. Comme la fois précédente, il lui désigna le coin de la pièce dans lequel deux larges fauteuils, séparés par une table basse, se faisaient face.

Le secrétaire d'État fit signe à un membre de son cabinet d'apporter du thé et il prit un Monte-Cristo.

— Mon plaisir de la journée, avoua-t-il.

Il détacha délicatement la bague, craqua une allumette et alluma le cigare selon un rite qu'il avait soigneusement mis au point. Rien n'aurait pu le distraire à ce moment-là et Clément, qui commençait à apprendre la patience, attendit qu'il eût terminé.

Après avoir tiré trois grosses bouffées, ce qui eut pour effet de remplir la pièce d'un nuage bleuâtre, Kim Chung Shik posa alors son regard sur son visiteur qui attendait le verdict.

— J'ai une très bonne nouvelle à vous annoncer, monsieur Durot. Vous allez pouvoir vous rendre à Pusan dans les plus brefs délais. On vous attend là-bas avec impatience. Ne perdez surtout pas de temps.

Clément estima qu'il y allait un peu fort. Voilà qu'on le priait à présent de se dépêcher alors que, par la faute de l'administration coréenne, il avait déjà perdu une huitaine de jours. Pour un peu, on lui reprocherait presque de ne pas être déjà là-bas.

Kim s'amusa en voyant la réaction de l'architecte mais il fit mine de ne pas s'en apercevoir.

— Le président, lui-même, a étudié votre dossier et il s'est déclaré enchanté du choix fait par notre ambassadeur. J'ai pour ordre de mettre à votre disposition tous les moyens qui vous seront nécessaires.

Clément remercia d'un geste.

— Vous verrez, Pusan est une très belle ville, la plus grande après Séoul. Un grand port aussi, c'est notre poumon maritime en quelque sorte. Mais les installations de santé y sont vétustes et le maire de la ville a décidé de faire construire un ensemble moderne et fonctionnel. Je ne vous cache pas que vous n'allez pas travailler seul sur le projet. Nous avons en Corée des architectes pleins d'avenir qui collaboreront avec vous.

Clément acquiesça, c'était la règle du jeu. Son visage s'éclaira, enfin il allait pouvoir travailler, rompre cette inaction qui lui pesait depuis huit jours. Il était à présent pressé de quitter Séoul, ville qui ne lui plaisait guère, pour s'enfoncer dans la Corée. Et puis, beaucoup d'événements l'avaient troublé. Le chassé-croisé de sentiments, pour reprendre les mots de Stéphanie, leur promenade dans le parc du palais Kyongbok le laissaient moralement désemparé. Lorsqu'il avait revu la jeune fille à Séoul, il était dans un premier temps resté sur la réserve mais il avait bien vite oublié ses résolutions parisiennes. L'amour qu'il éprouvait pour elle, au lieu de s'estomper, s'était révélé plus fort que jamais. Mais il avait été maladroit. Par sa faute, leur entretien avait mal tourné. Au lieu de rendre les armes, d'oublier ses préventions, d'apprécier à sa juste valeur le geste de Stéphanie qui avait traversé une partie du globe pour le retrouver, de l'écouter alors qu'elle lui avait offert le bonheur, il avait tout d'abord opposé une fin de non-recevoir.

« Qu'est-ce que je te demandais ? Le temps d'un entracte », lui avait-elle dit. Et lui, Clément, avait refusé, oubliant qu'elle n'avait que vingt ans et qu'il fallait lui laisser le temps de découvrir par elle-même où se situait le vrai bonheur.

Lorsqu'elle s'était montrée profondément déçue par son incompréhension, il s'était subitement rendu compte qu'il était allé trop loin. Un peu tard. Il avait essayé de remonter la pente mais il s'était heurté à la résolution de la jeune fille.

« Nous avons laissé passer notre chance », avait-elle constaté tristement.

Kim s'était tu et il attendait que Clément prît la parole. Ce dernier remit les pieds sur terre. Sortant de son rêve, il s'excusa de son impolitesse.

— Pardonnez-moi, monsieur le ministre. Je suis bien entendu très heureux de pouvoir me mettre très bientôt au travail. Je partirai demain matin pour Pusan.

Le secrétaire d'État se leva et s'approcha de son bureau. Il prit un dossier.

— Voici votre billet d'avion et l'autorisation officielle du gouvernement coréen. Ce document vous ouvrira toutes les portes. De toute manière, appelez-moi immédiatement si vous rencontrez la moindre difficulté.

Il revint près de Clément qui s'était levé à son tour et l'interrogea.

— Comment va mademoiselle Morel ? Est-elle totalement remise de ses émotions ? Nous sommes navrés que vous ayez été tous les deux mêlés à ce regrettable fait divers. Le président lui-même m'a chargé de vous le dire. Heureusement, vous n'avez été blessés ni l'un ni l'autre. Nous ne nous le serions pas pardonné.

Après que Clément lui eut donné de bonnes nouvelles de Stéphanie, il ajouta :

— Elle a l'air très charmante. J'ai été invité à la présentation de mode cet après-midi. Je ne suis pas très compétent en la matière, ajouta-t-il avec un sourire, mais je crois que je vais trouver le temps nécessaire pour m'y rendre. Les couturiers français ont une très grande réputation et je ne voudrais pas manquer le spectacle pour rien au monde.

Il raccompagna son hôte jusqu'à la porte et fit la courbette d'usage.

— Bonne chance, monsieur Durot. Mes vœux vous accompagnent. Considérez la Corée comme votre pays d'adoption. J'ose espérer que l'épisode de la banque ne sera bientôt plus qu'un mauvais souvenir.

Clément remercia chaleureusement son hôte et prit le chemin du Plaza. Il était l'heure du déjeuner. Il avala un steak dans un des restaurants de l'hôtel et alla prendre un café dans le salon. L'architecte était songeur. Irait-il, ou non, assister à la présentation de la collection qui se déroulait dans moins de deux heures ? En s'y rendant, il courait le risque d'être encore plus malheureux. Mais il avait très envie de revoir Stéphanie et il décida d'y assister. Il n'aurait pas un long chemin à parcourir puisque la cérémonie se déroulait au premier étage de son hôtel.

Ce n'était pas seulement pour des raisons sentimentales que Clément désirait être présent, il n'était pas mécontent de se faire une idée de l'autre vie de Stéphanie.

La direction du Plaza avait bien fait les choses. Les cloisons escamotables séparant les salons du premier étage avaient été retirées si bien qu'un très large espace était mis à la disposition de Claude Saint-André. Près de cinq cents invitations avaient été lancées et les organisateurs de la manifestation redoutaient la venue d'un grand nombre de resquilleurs, alléchés par le fait divers qui, deux jours auparavant, avait fait de Stéphanie une vedette nationale. Depuis quarante-huit heures, la presse écrite racontait avec force détails l'attaque de la banque et profitait de l'aubaine pour consacrer des pages entières sur la maison de couture Saint-André et sur son mannequin fétiche. De

grandes photos d'elle s'étalaient sur les premiè-
res pages et elle avait pu mesurer l'impact de ces
publications. Depuis deux jours, elle était envi-
ronnée de curieux dont certains quémandaient
des autographes. Une dizaine d'entre eux sta-
tionnaient même devant l'entrée de l'hôtel dans
l'espoir de l'apercevoir. C'était la gloire !

Claude Saint-André et ses commanditaires
coréens se frottaient les mains. Le premier avait
obtenu des seconds des conditions encore plus
avantageuses ; ces derniers estimaient que la
publicité faite allait permettre de doubler les
ventes des modèles à grande diffusion qui porte-
raient la griffe du célèbre couturier. Bref, tout le
monde semblait satisfait. Quelques heures avant
le début de la présentation, il régnait une
ambiance folle dans les chambres qui avaient été
transformées en salons d'essayage. Vêtues de
peignoirs, Stéphanie, Christine et les autres
mannequins attendaient patiemment sur un
canapé que les petites mains terminent les
retouches exigées par le couturier.

Ce dernier, une pelote d'épingles accrochée à
son bras, fit un signe à Stéphanie.

— Essaye-la de nouveau.

Docilement, elle se leva et passa la robe en
jersey que lui tendait Claude. Il s'agissait d'une
robe fourreau noire décolletée dans le dos qui
épousait parfaitement les formes parfaites de la
jeune fille. Le couturier s'estima satisfait. Il n'en
fut pas de même avec le tailleur turquoise qui
suivit. Rien ne lui plaisait...

— Les manches sont trop larges, les épaules

104

pas assez droites, s'écria-t-il avec fureur en s'adressant à son assistante.

— Mais, Claude...

— Taisez-vous. Ce n'est pas du tout ce que j'avais demandé. Regardez Stéphanie comme elle est fagotée ? Et tout d'abord, je ne peux pas travailler tranquillement dans cette ambiance. Il y a trop de monde. Comment voulez-vous que je puisse être inspiré ?

Christine pouffa discrètement.

— Ça y est, chuchota-t-elle à Stéphanie. Le patron pique sa crise, c'est chaque fois pareil. Il a dû oublier de prendre ses tranquillisants.

Allongée sur le canapé, Stéphanie regardait tout ce petit monde s'agiter et elle se disait que Clément n'avait peut-être pas tout à fait tort de conserver ses distances avec le milieu de la mode. Elle eut un petit sourire. La Sorbonne lui parut bien loin tout à coup. Et pour ne pas être gagnée par la folie ambiante, elle ferma les yeux et fit ce que recommandaient tous les professeurs de relaxation ; elle fixa ses pensées sur un tableau champêtre, la Charente baignant Jarnac, les arbres caressés par le soleil, une odeur de campagne. Une jeune fille s'avançait gaiement dans un chemin ombragé et se dirigeait vers un homme qui lui tendait les bras. Elle se reconnut. Qui était l'homme ? Malgré tous ses efforts, elle ne put apercevoir son visage car il tournait le dos. Elle remarqua seulement qu'il était de haute taille et elle se surprit à souhaiter très fort que ce fût Clément.

Elle ouvrit les yeux. Le tailleur turquoise qu'elle devait essayer n'était toujours pas

.achevé, on était en train de recoudre les manches. Alors, elle se replongea dans ses pensées. Et ses pensées s'étaient fixées sur Clément qui avait chassé de son esprit le paysage riant des Charentes. Des images passaient comme des flashes. Clément et elle se promenant boulevard Saint-Michel, l'architecte penché sur sa planche à dessin, un soir où ils avaient dîné dans son atelier parce qu'il avait un travail urgent à finir, leur explication chez leur ami Georges, la réception à l'ambassade. Et puis, l'inquiétude du jeune homme lors de l'attaque de la banque et son soulagement devant l'issue heureuse.

Elle voulut une fois encore faire le point. L'autre jour, avec Clément, elle avait semblé résolue mais elle était en fait désemparée. Que s'est-il passé entre nous, s'interrogea-t-elle ? Est-ce seulement un quiproquo qui nous sépare, est-ce plus grave ? Elle ne put aller plus loin dans ses réflexions. Après avoir timidement frappé à la porte, Julien Biron pénétra dans la pièce. Claude Saint-André, qui s'apprêtait à piquer une nouvelle crise devant cette intrusion, s'adoucit en reconnaissant l'attaché culturel.

— Bonjour, monsieur Biron, que me vaut l'honneur ?

Le diplomate gratifia Stéphanie d'un large sourire avant de répondre au couturier.

— Je venais vous prévenir que l'ambassadeur serait là très bientôt. Tout se présente bien ?

Saint-André grommela. Comme tous les créateurs, il n'était pas satisfait de son œuvre alors qu'approchait la minute de vérité. Il s'effondra dans un fauteuil et il fallut que Stéphanie et

Christine vinssent le réconforter. Il reprit des couleurs après avoir englouti le verre de champagne que lui tendait son assistante.

— Alors, monsieur Saint-André, vous allez nous montrer des merveilles?

L'ambassadeur de France entrait à son tour dans la pièce. Le couturier jaillit de son fauteuil.

— C'est très aimable à vous, monsieur l'ambassadeur, d'avoir bien voulu assister...

— Tt, tt, tt, coupa Jacques Franchant en faisant un geste apaisant. Vous êtes à votre manière un ambassadeur et pour rien au monde je me serais abstenu de soutenir un collègue. Mais pardonnez mon intrusion. Si je me suis permis d'entrer c'est que votre assistante m'a affirmé que je pouvais pénétrer dans le saint des saints. Je voulais donc vous encourager et vous dire que tout Séoul était là. Nous comptons sur vous.

Il s'approcha de Stéphanie.

— J'ai été navré, mademoiselle, d'apprendre que vous aviez été le témoin d'une histoire affreuse. Dieu merci, vous vous en êtes sortie saine et sauve. Votre ami Clément Durot qui m'a fait le plaisir de dîner le soir même avec moi m'a raconté votre aventure. J'admire votre courage.

Il poursuivit.

— Un homme de valeur, ce M. Durot. Je ne me demande même pas s'il va réussir son projet à Pusan. J'en suis sincèrement persuadé. J'apprécie en lui cette passion qui l'habite pour ce qu'il fait. C'est un véritable sacerdoce.

Stéphanie rosit de plaisir. Les compliments de

l'ambassadeur à l'égard de Clément lui allaient droit au cœur. Elle balbutia des remerciements avant que Jacques Franchant ne quitte la pièce. Lorsqu'il eut disparu, Claude Saint-André entra de nouveau en transes. Dans un quart d'heure au plus tard le « show » allait commencer et ils percevaient le brouhaha qui s'élevait des grands salons.

Un des commanditaires coréens pénétra à son tour dans la pièce et s'inclina respectueusement devant le couturier avant de désigner sa montre.

— C'est l'heure, dit-il.

Clément avait miraculeusement trouvé une chaise vide à quelques mètres seulement du podium sur lequel les mannequins allaient s'élancer tout à l'heure. A sa gauche et à sa droite il y avait des représentants de la haute société de Séoul et il reconnut au premier rang le secrétaire d'État Kim Chung Shik. L'ambassadeur de France avait pris place à ses côtés. Tout était prêt pour le spectacle. Clément se croyait presque au théâtre et il n'aurait pas été étonné outre mesure si un quelconque régisseur avait frappé les trois coups traditionnels.

Soudain, deux jeunes femmes approchèrent des micros qui avaient été placés dans un coin de la salle. Il s'agissait des deux présentatrices qui, tout au long de la cérémonie, allaient commenter en coréen et en anglais les passages des mannequins.

Le grand rideau rouge se leva, les spectateurs aperçurent une lumière diffuse d'où émergeait une silhouette sombre, immobile. Puis la lumière devint plus violente. Belle, hiératique, une jeune femme se tenait droite, le regard fixé droit devant elle. Une musique douce s'éleva et elle se mit à avancer sur la tribune. Clément reconnut Stéphanie. Elle était très maquillée ce qui mettait en valeur ses magnifiques yeux noirs. Ses longs cheveux auburn avaient été ramenés en un large chignon souple sur la nuque. Elle était vêtue d'une longue robe du soir noire, très simple, qui lui allait à la perfection.

— 42, « Symbiose », annonça la présentatrice.

Clément était fasciné et il ne pouvait détacher son regard de la jeune fille dont la beauté lui semblait irréelle. Elle s'avançait vers lui, semblant ignorer tous les regards qui la scrutaient. Décidément, Claude Saint-André était un véritable Pygmalion. Il avait fait de la jeune étudiante en blue jeans une femme mystérieuse, envoûtante, qui semblait venir d'un autre monde.

En reconnaissant Stéphanie, les invités s'étaient levés pour applaudir l'héroïne de la soirée en même temps que la robe qui semblait avoir été cousue sur elle et qu'elle mettait merveilleusement en valeur. Elle ne parut pas se soucier des manifestations qui saluaient son passage mais il sembla à l'architecte que, sous son apparence hautaine, indifférente, elle scrutait la salle.

Clément n'avait pas tort. Stéphanie tentait, en dépit des lumières qui l'aveuglaient, d'apercevoir le jeune homme. A-t-il pensé à venir ? s'était-elle demandé quand était venu le moment de s'élancer sur le podium. Elle reconnut au premier rang l'ambassadeur de France. La pénombre dans laquelle la salle était plongée gênait ses recherches. Il y avait tellement de monde qu'elle y renonça. Ce n'est qu'en revenant dans les coulisses qu'elle sut où il avait pris place. Christine l'avait repéré. Lorsqu'elle revint pour présenter cette fois un tailleur en jersey qui souleva autant d'applaudissements que la robe du soir, elle alla jusqu'au bout de l'estrade. Elle l'aperçut, gauche, mal à l'aise, assis sur une petite chaise qui n'était manifestement pas faite pour un homme de cette taille.

Ainsi, il était venu ! Puisqu'elle avait choisi d'exercer le métier de mannequin, il était juste qu'il la vît dans l'exercice de cette profession pour laquelle il n'avait que mépris. Elle avait dans la tête l'idée que, peut-être, il serait définitivement convaincu que présenter des modèles de haute couture était une activité qui en valait bien d'autres.

Leurs regards se rencontrèrent. Elle esquissa un sourire. Mais le visage de Clément resta de marbre. Et lorsqu'elle vint présenter le tailleur turquoise qui avait donné tellement de soucis à Claude Saint-André peu de temps avant la présentation, il avait disparu. Elle eut un coup au cœur. Cette nouvelle confrontation avait été un échec. Sans qu'ils eussent échangé un seul mot. Clément avait été sensible à la beauté de la jeune fille mais ce qu'il redoutait s'était produit. Il connaissait à présent les deux Stéphanie et celle qu'il aimait n'était décidément pas la femme qu'il venait de voir s'avancer au milieu des spectateurs éblouis. Il s'était enfui. Clément avait définitivement choisi. Demain, il serait à Pusan.

Le reste du défilé se déroula dans les mêmes conditions. Une fois encore, Claude Saint-André recevait un triomphe. Les invités applaudissaient à chaque apparition d'un nouveau modèle, surtout lorsque ç'était Stéphanie qui s'avançait sur la longue estrade. Seul un observateur très averti aurait pu relever que son attitude n'était plus tout à fait la même. Son visage s'était légèrement durci, elle paraissait plus hautaine. Son regard balayait sans la voir la foule dense qui se pressait autour d'elle et ses gestes étaient plus mécaniques.

La jeune fille était en train de tirer un trait sur un passé tout récent dont elle avait jusqu'au bout espéré qu'il n'était pas mort. Clément et elle n'avaient jamais réussi à se placer sur la même longueur d'ondes. A chaque fois qu'ils s'étaient retrouvés, à Paris après le retour d'Égypte de l'architecte, à Séoul à l'ambassade de France, mais surtout dans le jardin du palais, ils s'étaient heurtés. L'un se montrait-il conciliant ? C'était l'autre qui faisait alors preuve d'incompréhension et vice versa. Dans ce jeu de cache-cache avec les sentiments, ils avaient été tous les deux perdants.

Vint le moment pour Stéphanie de présenter la robe de mariée, celle qui avait soulevé tant d'enthousiasme à Paris lors des grandes collections automne-hiver. Une robe de mariée… Elle ressentit l'ironie de la situation et le symbole lui donna un pincement au cœur. Nul doute que si elle avait sagement poursuivi ses études, elle se serait retrouvée un jour au bras de Clément dans l'église de Jarnac où avait été béni le mariage de ses parents. Elle serait alors passée directement de l'état d'étudiante à celui d'épouse mais elle n'aurait pas connu ce passage, important dans la vie d'une femme, qui lui permet de s'exprimer par elle-même en dehors de toute tutelle. Période grisante qui permet d'acquérir le sens des responsabilités, de découvrir le monde autrement que par les yeux d'un autre, d'assumer cette liberté enfin approchée, de placer soi-même des garde-fous.

D'exercer le métier de mannequin lui avait apporté tout cela. En quelques mois, Stéphanie avait mûri et ce qu'avait en quelque sorte refusé Clément, c'était son épanouissement. La femme-enfant qu'il avait connue était devenue une femme à part entière. Lui, avait rejeté cette nouvelle image de celle qu'il aimait pourtant par-dessus tout.

— Je suis amoureux de toi depuis le premier jour, depuis notre première rencontre, lui avait-il déclaré au début de leur promenade dans le jardin.

Pourtant, il l'avait repoussée et lorsqu'il avait compris son erreur, il était trop tard. Elle s'était révoltée devant son attitude, devant ses hésitations. Et, aujourd'hui, il avait fui.

En revenant dans le salon qui servait de cabine aux mannequins, Stéphanie n'eut pas une larme. Puisque le destin avait voulu qu'elle et Clément fussent séparés, il fallait à présent faire face, réagir définitivement. Fini le jeu de cache-

112

cache. Elle serait forte parce qu'il le fallait. La vie s'offrait à elle.

Lorsqu'elles furent rhabillées, Claude Saint-André vint les chercher pour les conduire devant un grand bar qui avait été dressé. Le couturier frétillait d'aise en écoutant les compliments qui lui étaient prodigués. Il était entouré des mannequins qui avaient assuré le succès de sa collection. Stéphanie, surtout, qu'il couvait du regard. Sa beauté attirait les invités qui formaient un cercle autour d'elle.

Accompagné d'un Coréen, Julien Biron fendit la foule et s'approcha d'elle.

— Ma chère Stéphanie, permettez-moi de vous présenter le ministre Kim Chung Shik qui souhaite faire votre connaissance.

Le Coréen s'inclina très bas.

— C'est un honneur pour moi que de vous rencontrer, mademoiselle. Vous êtes un rayon de soleil dans notre grisaille quotidienne.

Derrière ce compliment fleuri, Stéphanie comprit que l'homme qui lui faisait face était fin et intelligent. Son visage conservait une impassibilité parfaite mais elle lut de la malice dans son regard.

— J'ai hâte de connaître votre pays, répondit-elle. Je n'ai pu, pour l'instant, qu'avoir un aperçu de Séoul.

Il prit une mine contrite.

— Et encore, votre séjour dans la capitale a-t-il été troublé par les événements que l'on sait. Nous en sommes sincèrement désolés. Mais, ajouta-t-il, puisque vous avez la bonne idée de descendre en direction de Pusan par la route, vous verrez que notre pays renferme d'inestimables beautés. A Séoul, on vit tout de même dans une atmosphère particulière due à cette menace permanente que fait régner la Corée du Nord. Sur la route du sud, vous découvrirez le vrai visage de la Corée. Une flore très belle et un peuple paisible, amoureux de sa terre qui le lui rend bien.

Il se tourna vers Julien Biron qui était resté près d'eux.

— Mais je crois que notre jeune ami vous accompagne. Il connaît bien nos régions et saura vous les faire découvrir, j'en suis sûr.

Il s'inclina et prit congé. Les deux jeunes gens restèrent seuls.

— Quel homme charmant, dit-elle.

Julien s'approcha d'elle et lui murmura à l'oreille :

— Stéphanie, faites-moi un immense plaisir.

— Lequel ? demanda-t-elle en souriant.

— Acceptez de dîner avec moi ce soir.

— Vous serez sage ?

Il prit un air confus.

— Je vous le promets.

— Dans ce cas, j'accepte.

7

A vol d'oiseau, Séoul est en quelque sorte le faubourg de Tokyo. Une heure trente d'avion, seulement, sépare les capitales, et un véritable pont aérien a été jeté entre les deux pays pour acheminer les passagers qui font parfois l'aller-retour dans la journée. Le vieil antagonisme opposant Coréens et Japonais s'est estompé avec le temps mais les deux pays conservent jalousement leurs us et coutumes, leurs différences. Ce jour-là, la petite troupe de Claude Saint-André quittait le pays du matin calme pour gagner celui du Soleil levant.

Jusqu'à la passerelle d'embarquement, les commanditaires coréens du couturier les avaient accompagnés et couverts de menus cadeaux. A Séoul, la griffe Saint-André avait rencontré un immense succès et ils étaient tous attendus avec impatience à Tokyo.

L'étape de Pusan restait un mauvais souvenir pour Stéphanie. Après l'enchantement du voyage qui les avait conduits en quatre heures de Séoul vers le sud, elle avait trouvé la deuxième ville du pays grise et sale. Premier port de

Corée, ville industrielle avant tout, Pusan était loin d'avoir le charme des villages qu'ils avaient aperçus de l'autoroute. Des villages piqués dans la montagne, entourés de forêts profondes et de rizières.

Dans l'autocar qui avalait les kilomètres, Stéphanie s'était tout d'abord légèrement assoupie et, lorsque le rire gai de Christine, qui était assise auprès d'elle, l'avait réveillée, elle avait gardé les yeux fermés. Elle esquissa un petit sourire en songeant au dîner de la veille en compagnie de Julien Biron. Ce dernier l'attendait avec impatience dans le hall depuis un quart d'heure lorsqu'elle était descendue.

Il s'était précipité vers elle.

— Bonsoir Julien.

Muet, il admirait la jeune fille qui portait une ravissante robe rose légèrement décolletée. Elle avait relevé ses cheveux en un chignon qui la faisait paraître légèrement plus âgée et qui dégageait ses petites oreilles ornées de perles. Elle avait mis un peu de rouge sur ses lèvres parfaitement dessinées et assombri ses paupières.

— Eh bien, Julien, vous avez perdu la voix ? se moqua-t-elle.

— Pardon Stéphanie, mais votre beauté me coupe le souffle.

— J'espère que vous aurez retrouvé l'usage de la parole pendant le dîner et que vous allez cesser de me contempler de cette manière.

— Je vous le promets.

— Où m'emmenez-vous ?

116

— Dans un restaurant coréen. J'espère que vous aimez leur cuisine.

Stéphanie acquiesça. Elle se souvenait d'avoir apprécié les plats qu'on lui avait servis lors de son déjeuner avec Clément.

— Alors, allons-y.

Il avait emprunté la Peugeot 604 de l'ambassade et lorsqu'ils furent installés, il fit signe au chauffeur de démarrer. Une demi-heure plus tard, ils avaient atteint le grand centre touristique de Walker Hill. Perché dans des collines boisées, il offre au promeneur tout ce qu'il peut désirer : hôtels luxueux, restaurants, casinos, ainsi que des magasins où l'on vend d'étonnantes reproductions d'objets caractéristiques de l'art coréen.

L'air était doux. A leurs pieds, les lumières de Séoul commençaient à s'allumer. Stéphanie était ravie.

— Et si nous nous promenions un peu ? demanda-t-elle.

Elle accrocha gentiment son bras à celui de Julien qui était aux anges et ils se mêlèrent à la foule qui déambulait dans les ruelles. Des odeurs épicées s'échappaient des restaurants, ce qui leur mit l'eau à la bouche.

Elle tomba en arrêt devant un coffret en bois décoré avec de la corne de bœuf sur lequel étaient dessinés des symboles de longévité.

— C'est une reproduction d'un objet de l'époque Yi du XVIIIᵉ siècle, intervint le diplomate qui avait remarqué l'intérêt que portait la jeune fille.

— Vous êtes précieux, dit la jeune fille en

riant. J'allais oublier que vous étiez attaché culturel. Comme c'est vous qui nous avez accueillis et qui nous servez de cicérone, j'en conclus que l'art coréen et la haute couture peuvent faire bon ménage. Ou est-ce le fait que vous me trouvez à votre goût ?

Le jeune homme se récria.

— Vous êtes loin de la vérité, Stéphanie. Je suis en fait amoureux de vous. Je ne vous l'ai pas caché.

Une fois de plus, elle éclata de rire.

— Ça, je m'en souviens parfaitement. Je crois même qu'un certain soir vous vous êtes montré particulièrement encombrant.

— Encore pardon, dit-il d'un ton confus. Je ne savais plus ce que je faisais. La réception à l'ambassade, le retour à votre hôtel m'avaient mis dans un état second. Je ne voulais pas vous quitter sans vous voir en tête à tête. Je regrette tout sauf une chose.

— Laquelle ?

— De vous avoir embrassée.

— Baiser non valable, dit-elle.

— Pourquoi ?

— C'était un baiser volé.

— C'est vrai, Stéphanie, mais j'en garderai éternellement le souvenir. Pour l'oublier, il faudrait que vous m'en accordiez d'autres, volontairement cette fois.

— Allons Julien, faites-vous ainsi la cour à toutes les Françaises qui sont invitées à l'ambassade ?

L'attaché culturel fit la moue.

— Il est rare qu'elles aient votre jeunesse et votre beauté.

— Sinon, vous vous précipiteriez ! Seriez-vous un don Juan professionnel, mon cher Julien ?

— Stéphanie, il n'est pas question d'établir des points de comparaison. Vous savez bien qu'avec vous c'est tout à fait différent.

— C'est toujours ce que l'on dit, murmurat-elle rêveusement. Les hommes ont très facilement la mémoire courte. Vous vous enflammez facilement. Mais vos sentiments sont le plus souvent très creux.

— Pourquoi dites-vous cela, Stéphanie ? Vous me connaissez à peine.

— Oh ! je ne pensais pas spécialement à vous, mon cher Julien. Je suis sûre que vous allez bientôt me jurer que vous n'avez jamais rencontré de femme comme moi, que je suis une femme pas comme les autres. Bref, la femme que vous attendiez et que vous avez enfin trouvée.

— Et si c'était ainsi ? interrogea Julien.

Ce badinage commença à agacer Stéphanie qui avait à présent en tête le souvenir de Clément. Elle dit calmement à Julien :

— Changeons de sujet voulez-vous ? Et continuons de regarder ces trésors.

Elle ne prit pas garde à Julien qui était allé rejoindre le chauffeur coréen qui attendait dans la voiture. Il lui glissait une liasse de billets et désignait le magasin où elle se trouvait. Il revint bientôt près d'elle.

— Venez, allons dîner.

Le restaurant dominait Séoul. Ils s'étaient assis près de la fenêtre et le personnel s'affairait autour d'eux. Un menu géant, écrit en anglais cette fois, facilitait les recherches et Julien la conseilla. Quand ils eurent commandé, elle tourna son regard vers la baie vitrée et contempla pensivement la ville. Il respecta un moment son silence puis, n'y tenant plus, il posa sa main sur la sienne.

— Vous êtes triste ?

— Un peu, dit-elle. Mais cela va passer.

— Tout ne se déroule pas comme vous le souhaitez ?

— Pas vraiment.

— Clément Durot ? risqua-t-il.

Cette fois, elle ne se mit pas en colère. Elle tourna vers lui son regard.

— Clément Durot, confirma-t-elle.

Et, comme il restait silencieux :

— Parfois on se dit sottement que la vie est mal faite et qu'il suffirait de peu de choses...

Elle secoua la tête.

— Mais je ne veux pas céder à la mélancolie. Oublions tout cela et servez-moi donc un peu de vin.

Ils avaient devisé gaiement pendant tout le dîner et Julien Biron s'était, cette fois, conduit en gentleman. Pendant le voyage en autocar, il s'était laissé souffler la place près de Stéphanie par Christine et ce n'est qu'une fois arrivés à Pusan qu'il avait pu reprendre son rôle de chevalier servant, voulant en chaque chose prévenir les désirs de la jeune fille.

— Vous me donnez de mauvaises habitudes, avait-elle dit en riant.

— Si vous le vouliez, ce serait ainsi toute notre existence avait-il répliqué.

— Serait-ce une demande en mariage ?

Ils se trouvaient dans le bar de l'hôtel Chosun de Pusan. Julien était grave.

— C'en est une, Stéphanie.

— Mais enfin, Julien, vous n'êtes pas sérieux. Nous nous connaissons à peine depuis quelques jours. L'autre soir, en quête d'une aventure, vous m'avez embrassée de force et maintenant vous voulez m'épouser. Qu'est-ce qui vous a fait ainsi changer d'avis ?

— Vous.

— Mais, enfin, je n'ai pas changé depuis !

— Peut-être, mais j'ai appris à vous connaî-tre. Vous occupez mon esprit et mon cœur. Et je souhaite ardemment que vous deveniez ma femme.

— Et si je refuse ?

— J'en serai très malheureux.

— Vous oubliez quelque chose qui est tout de même important. C'est que je suis amoureuse de Clément.

Il se dressa brusquement.

— Mais j'avais cru comprendre que vous aviez rompu. Ne me l'avez-vous pas laissé enten-dre hier soir ?

— Ce n'est pas aussi simple, Julien. Croyez-vous que quelques heures suffisent pour oublier un homme avec lequel on pensait faire sa vie ? Ce n'est pas sérieux et vous seriez en droit de me traiter de girouette. J'ai, Dieu merci, plus de profondeur que vous ne semblez le penser. Le fait que nous ayons jugé qu'il valait mieux nous séparer ne chasse pas les sentiments.

— Mais je peux espérer ?

Elle eut l'air agacé.

— Je n'en sais rien, Julien. Ne me tourmentez pas je vous prie. Comment voulez-vous que je puisse présager l'avenir. De vous deux, aujourd'hui, c'est vous qui avez la bonne place. N'êtes-vous pas près de moi et n'allez-vous pas nous accompagner au Japon de surcroît ?

— C'est vrai. Pardonnez mon impatience, Stéphanie. L'amour conduit à faire des maladresses.

Au cours de leur séjour à Pusan, Stéphanie n'avait pas cherché à rencontrer Clément et l'architecte, qui n'ignorait pas son passage dans la ville, ne s'était pas manifesté. Pourtant, il l'avait aperçue. Comme à Séoul, et en dépit de la répugnance qu'il éprouvait pour ce genre de manifestation, il s'était rendu à la présentation, en se cachant comme un voleur. Mais il avait trop envie de la voir. Une fois de plus, il avait assisté à son triomphe et s'était enfui avant la fin, en emportant dans son cœur l'image radieuse de la jeune fille. Et il s'était plongé avec acharnement dans son travail pour tenter d'échapper à son emprise.

Dans la grande salle de l'hôtel Chosun, la présentation avait rencontré le succès habituel. Après le triomphe de Séoul dont avait fait état toute la presse de la capitale, Claude Saint-André avait acquis une grande sérénité. Et c'est avec confiance que, le soir-même, il avait entre-

122

pris Stéphanie qu'il avait attirée dans un coin du bar.

— Qu'en penses-tu, demanda-t-il à brûle-pourpoint ?

— De quoi ?

— De tout ça, de ce succès, de cette tournée ?

— Je pense qu'une fois encore vous avez réalisé de petits chefs-d'œuvre et que vous rencontrez la juste récompense de vos efforts.

Il balaya ça d'un geste.

— Bon, d'accord. Mais toi, tu es définitivement conquise je pense ? Tu restes avec nous ?

— Sûrement pas.

La réponse était tombée, sèche, nette. Claude Saint-André sursauta.

— Mais enfin, Stéphanie, tu n'en mesures pas les conséquences. Pour moi bien sûr, mais aussi pour toi. Tu vas perdre la chance de ta vie.

— Quelle chance ? interrogea-t-elle.

— Celle de devenir une femme célèbre, connue du Tout Paris, invitée aux plus grandes soirées ?

— Et qui vous dit que cette vie m'intéresse, mon cher Claude ? Le drame avec vous, c'est que vous êtes tellement préoccupé par vos affaires que vous oubliez de faire preuve de psychologie. Accordez-vous seulement aux mannequins qui travaillent pour vous le droit de penser, d'avoir une vie personnelle loin de votre maison de couture ? Que savez-vous de moi au fond ? Rien. Vous m'avez rencontrée un soir dans un dîner, je vous ai plu et vous m'avez engagée. Soit. Mais vous ne connaissez rien de moi, de même que vous ne savez rien de Christine, je suis prête à le parier.

— C'est vrai, bafouilla Saint-André. Je vous ai un peu négligées. Mais j'ai tellement de soucis.

— Oh ! je ne vous le reproche pas Claude, je suis simplement surprise de votre étonnement. Ce que je puis tout de même vous dire, c'est que j'ai vécu grâce à vous une expérience passionnante et que j'ai appris beaucoup de choses. Mais j'ai décidé d'y mettre un terme. Voilà tout. Aussi, dès notre retour à Paris, vous allez devoir vous passer de moi.

Et, comme il avait l'air désespéré :

— Je vous fais confiance, vous me trouverez facilement une remplaçante.

— Mais pour quelles raisons veux-tu me quitter ? Que vas-tu faire ?

— A vrai dire, je ne sais pas encore. Je n'ai pas pour habitude de programmer ainsi mon existence. La preuve en est que j'ai abandonné mes études pour entrer dans votre maison de couture. Mais si vous voulez en savoir davantage, je peux vous dire que j'ai le choix entre retourner chez moi à Jarnac pour me replonger dans une atmosphère familiale, ce qui me ferait le plus grand bien, ou retourner à la Sorbonne. Il existe bien une troisième hypothèse mais je préfère ne pas en parler si vous le voulez bien.

Cette troisième hypothèse, était-ce Clément ou Julien ? Elle ne le savait pas elle-même. Stéphanie était toujours amoureuse de Clément mais elle se plaisait à présent en la compagnie de l'attaché culturel. Il avait corrigé ses maladresses du premier jour et conservait une attitude parfaite. Avec intelligence, il avait compris qu'il lui fallait montrer de la patience.

Dans l'avion qui roulait sur la piste de Séoul pour prendre son envol, Stéphanie songeait à tout cela. La mer du Japon allait désormais la séparer de Clément qui était resté à Pusan. Bientôt elle serait de retour en France alors qu'il demeurerait en Corée. De la main, elle caressa une boîte qu'elle portait précautionneusement sur les genoux. C'était le coffret en bois et corne de bœuf qu'elle avait admiré dans un magasin de Walker Hill, losqu'elle était allée dîner avec Julien. Elle l'avait trouvé le soir-même en rentrant dans sa chambre et elle s'était alors souvenue que l'attaché culturel s'était éclipsé quelques instants pour bavarder avec le chauffeur. Ce dernier avait dû l'acheter pendant qu'ils étaient au restaurant et l'avait porté à l'hôtel. Elle avait été très touchée du geste de Julien.

— Il vous plaît, demanda ce dernier qui s'était assis auprès d'elle.

Elle eut un sourire.

— Il est très beau, dit-elle doucement. C'est sûrement le plus beau souvenir que j'aurai ramené de Corée.

— Et moi ?

— Vous n'êtes pas encore un souvenir puisque vous êtes là.

— Vous êtes déconcertante, Stéphanie.

— Non, simplement franche. Mais les hommes n'aiment pas la franchise. Et ils ont tort, c'est la seule manière d'éviter les quiproquos.

— C'est parfois dur à entendre.

— Peut-être, sur le moment. Mais croyez-moi, l'attitude directe est de loin la plus souhaitable.

— Qu'en pensait Clément ?

— Ce n'est pas cela qui nous a séparés. C'est autre chose de plus complexe. Clément m'avait une fois pour toutes classée d'une certaine manière dans son esprit. Et il n'a pas compris que j'aie pu changer. Pour lui, je devais rester la jeune fille de bonne famille, à la fois intellectuelle et un peu bécasse. Je suis toujours la jeune fille de bonne famille mais je ne suis plus une bécasse.

— Et intellectuelle ?

— Je ne sais. Sur ce plan, j'ai sûrement encore beaucoup de choses à apprendre et il aurait sans doute été un bon professeur.

— Qu'allez-vous faire à votre retour à Paris ?

— Vous êtes le deuxième à me poser la question en quelques jours, s'exclama-t-elle en riant. Je ne me doutais pas que mon avenir pouvait vous intéresser tous autant. Je vais vous faire la même réponse qu'à Claude. Peut-être retournerai-je chez moi à Jarnac, à moins que je ne reprenne mes études à la Sorbonne à la rentrée universitaire. Je ne sais pas encore. Ce qui est sûr, c'est que j'ai très envie d'aller revoir le pays de mon enfance. Sans doute pour réfléchir justement et faire le point. De temps à autre, il est bon de se confesser soi-même pour tenter de corriger ses erreurs. Ne vous demandez-vous pas parfois si la profession de diplomate vous convient ?

126

— C'est vrai. Mais je réponds toujours par l'affirmative.

— Mais vous vous posez au moins la question et c'est bien ainsi. Je redoute les gens qui n'ont que des certitudes. Car, lorsqu'ils s'aperçoivent qu'ils se sont trompés, il est généralement trop tard.

— De toute manière, vous abandonnez le métier de mannequin, n'est-ce pas ?

— Oui, de cela j'en suis sûre. J'en ai fait le tour. Dans ce milieu, j'ai fait la connaissance de gens charmants dont certains resteront mes amis, du moins je l'espère. Mais je ressens aujourd'hui son vide moral et intellectuel. Sur ce point, Clément avait raison. Mais il n'a pas compris qu'il fallait que je le découvre moi-même. Lui céder sur ce point aurait signifié que toute notre vie, j'aurais dû me soumettre à son propre jugement sans avoir le droit de juger par moi-même.

— Mais puisque aujourd'hui, vous avez la même opinion !

— Sur ma tentative de mannequin, mais cela n'est pas le plus important. Clément, je le répète, admet difficilement que je puisse avoir de la personnalité et l'envie de l'exprimer.

— Je suis tout prêt, pour ma part, à la laisser s'exprimer.

— Vous rebondissez vite sur vos pieds, Julien. Pour vous, de toute manière, les choses sont plus faciles. Vous ne m'avez pas connue du temps où j'étais étudiante et différente de la femme que je suis aujourd'hui.

— Cela n'empêche pas la sincérité de mes sentiments, dit-il avec vivacité.

Elle l'apaisa.

— Bien sûr Julien. Soyez amoureux de moi, je ne peux pas vous en empêcher. Et ne soyez pas furibard lorsque je vous parle de Clément. Permettez-moi de vous rappeler que c'est vous qui l'évoquez sans cesse.

— Je me bats contre un fantôme, dit-il piteusement. Mais c'est un fantôme qui est terriblement présent. Je préférerais le voir là, près de nous. Car, chaque fois que j'évoque devant vous mes sentiments, je sens qu'aussitôt vous pensez à lui, que vous faites la comparaison.

— C'est vrai. Mais que voulez-vous que j'y fasse ?

— Toujours cette franchise, maugréa-t-il.

— Il est vrai qu'elle n'a pas forcément cours chez les diplomates, dit-elle malicieusement.

— Ne vous moquez pas de moi, je suis malheureux.

— Cessez de faire l'enfant, Julien. Vous m'êtes très sympathique. Vous ne pensez tout de même pas que je vais vous déclarer un amour éternel. Malgré ma réputation de franchise, vous ne me croiriez pas et vous auriez raison.

L'avion avait atteint les côtes du Japon et il allait bientôt se poser sur l'aéroport de Tokyo. Claude Saint-André et Christine s'approchèrent d'eux.

— Nous descendons à l'hôtel New Otani, dit-elle. Parmi les chambres qu'on nous a réservées, il y en a une typiquement japonaise. Es-tu d'accord pour qu'on la partage ?

— Oui, bien sûr.

— Je ne sais pas si on va bien dormir sur les tatamis mais on va bien s'amuser, pouffa Christine.

Le pilote diminua les gaz et sortit les volets. Freiné, l'appareil entreprit sa descente. Le temps était superbe et ils apercevaient au loin cette ville immense qu'est Tokyo. Il était dix heures du matin.

Après les petites tracasseries habituelles à l'aéroport, ils prirent le chemin du New Otani. Immense vaisseau construit à l'intention des hommes d'affaires étrangers qui faisaient la navette entre l'Europe ou l'Amérique d'une part, et le Japon d'autre part. Certes, il n'avait pas le charme des vieilles auberges japonaises, les ryokan, mais il présentait l'avantage d'être placé en plein centre des affaires, non loin de Ginza, les Champs-Élysées de Tokyo.

Ils étaient chaperonnés cette fois-ci par le directeur d'une grande chaîne de magasins qui couvrait tout le Japon et dont le chiffre d'affaires se chiffrait par plusieurs milliards. Claude Saint-André affichait son air de contentement des grands jours. Comme cela avait été le cas à Séoul, tout se présentait le mieux du monde.

Stéphanie et Christine découvrirent leur chambre japonaise où tout se trouve à ras de terre. Une fenêtre donnait sur la rue frappée, comme les autres, par la congestion due à une circulation insensée. L'autre, en revanche, ouvrait sur un ravissant jardin miniature planté sur une terrasse à même le douzième étage. Respectant la tradition, Stéphanie et Christine

129

avaient retiré leurs chaussures et mis des chaussons pour fouler les tatamis. Dès qu'elles se furent assises, une femme de chambre leur servit du thé vert sur la table basse qui constituait le seul mobilier visible de la chambre. Les placards dissimulaient les édredons.

— C'est spartiate, releva Stéphanie. Je suis ravie de tenter l'expérience. Je te propose, tout d'abord, d'aller prendre un bain japonais. C'est paraît-il très délassant.

Après avoir bu leur tasse de thé, les deux jeunes filles prirent le chemin de la salle de bains qui était à l'étage. Après être passées sous une douche, elles pénétrèrent précautionneusement dans la petite piscine qui renfermait de l'eau à 40°. En grimaçant, elles se laissèrent glisser et lorsqu'elles eurent de l'eau jusqu'au cou, purent reprendre leur conversation. L'eau brûlante détendait leur corps et elles oublièrent bien vite la fatigue accumulée depuis leur arrivée à Séoul. Une demi-heure plus tard, elles sortirent du bain et regagnèrent leur chambre.

— Je me sens en pleine forme, s'exclama Christine.

Le téléphone sonna. C'était Julien.

— Alors, vous vous habituez à la vie japonaise ? demanda-t-il.

— Oh, oui, fit Stéphanie. Nous venons déjà de goûter au bain et cela nous a plu.

— Parfait. Je me propose d'aller faire un tour en ville du côté de Ginza. Puis, de vous emmener déguster un excellent tempura.

— Qu'en penses-tu ? demanda Stéphanie à son amie.

Celle-ci fit un signe affirmatif.

— D'accord. On se retrouve en bas de l'hôtel dans un quart d'heure.

Les deux jeunes filles s'habillèrent en vitesse et bientôt leur voiture plongea dans le plus étonnant embouteillage qu'elles aient jamais rencontré. Ils mirent plus d'une heure à arriver à destination et abandonnèrent le taxi à l'entrée de Ginza. Sur les trottoirs, une population dense rendait la marche difficile et ils éprouvaient des difficultés à approcher des devantures. Elles restèrent médusées devant les étalages de perles pendant que Julien s'abîmait devant les appareils photographiques du magasin mitoyen. Épuisés, après deux heures de lèche-vitrine, ils prirent la direction du restaurant dans lequel Julien avait retenu une table.

— C'est effarant, dit Christine. Je ne pourrais pas vivre dans ce pays.

— Et encore, dit Julien, vous n'avez pas assisté dans une gare à l'arrivée des trains de banlieue. C'est une véritable marée humaine qui déferle et qui vous emporterait comme un fétu de paille si vous n'y preniez pas garde.

Le serveur apporta des brochettes de volaille, du riz au curry et entreprit de préparer le tempura. Dans un récipient rempli d'huile bouillante qu'il avait posé sur la table, il jeta des morceaux de poisson, des crevettes et des légumes qu'il servit au fur et à mesure. Après l'atmosphère folle de Ginza, les trois jeunes gens se détendaient. Le saké dont ils burent quelques verres leur redonna des forces. A présent, ils voyaient l'avenir en rose.

— Que comptez-vous faire cet après-midi ? interrogea Julien.

— Repos, clama Christine. N'oubliez pas, mon cher Julien, que nous sommes ici pour travailler. Nous faisons une présentation ce soir à huit heures et Claude sera en transes s'il ne nous a pas sous la main.

— Même pas le temps d'aller près du palais impérial ?

— Vous êtes infernal, Julien. Nous sommes à peine arrivés à Tokyo que vous voulez nous accaparer.

— Mais c'est que j'ai peur de vous perdre, dit-il à Stéphanie en profitant que Christine allait visiter l'inévitable petit jardin qui jouxtait le restaurant. Dans quelques jours, vous allez prendre l'avion pour Paris.

— Vous avez sûrement des choses à faire à l'ambassade de France, répondit-elle. Il faut que nous nous reposions. Si vous êtes sage, nous pourrons nous retrouver à l'heure de l'apéritif.

— Promis ?

— Promis.

— J'aurais un aveu à vous faire.

— Vous êtes sûr que je ne le connais pas, ironisa-t-elle ?

— J'efface tout et je recommence à zéro. Je veux à tout prix que vous me preniez au sérieux.

Elle le laissa poser sa main sur la sienne tandis qu'il s'approchait d'elle. Les lèvres dans ses cheveux, il lui murmura :

— Je ne conçois pas de vivre sans vous Stéphanie.

Pour la seconde fois, elle ressentit un léger

trouble. Commencerait-elle à être sensible au charme de Julien ? Dans le taxi qui les ramenait vers l'hôtel et qui tentait difficilement de se frayer un passage, elle écouta sans déplaisir les propos qu'il lui tenait à l'oreille.

— Je t'aime, disait-il. Tu représentes pour moi la femme idéale et pour rien au monde je ne te laisserai m'échapper. Dès que je t'ai vue, je suis devenu amoureux de toi. J'ai envie de caresser tes cheveux, de poser mes lèvres sur les tiennes, de te prendre dans mes bras.

Elle désigna Christine qui s'était assoupie au fond de la voiture.

— Taisez-vous, vous allez la réveiller.

— Non Stéphanie, je dirai tout ce que je veux. Chaque fois que je veux te dire mon amour, tu m'échappes, tu te moques de moi. Cette fois, tu me laisseras aller jusqu'au bout. Stéphanie, je te demande de devenir ma femme.

Elle se dégagea.

— Laissez-moi Julien, je ne sais plus où j'en suis. Insister serait mal, je vous en prie.

— Non, je veux que vous me répondiez. Je ne peux plus rester dans l'incertitude.

Elle secoua la tête.

— Vous m'en demandez trop, Julien. Je ne puis vous répondre à présent. Je vous ai dit ce matin que j'avais hâte de me rendre à Jarnac pour être seule avec moi-même, pour réfléchir. Ne comprenez-vous pas que ce voyage en Asie a été éprouvant, physiquement mais aussi moralement ? J'ai envie de me retrouver.

— Mais nous serons chacun à un bout du monde ! Dès que votre tournée prendra fin, il me faudra rentrer à Séoul et je ne vous verrai plus.

— Qu'en savez-vous, Julien. Nous ne connaissons l'avenir ni l'un ni l'autre. Croyez-moi, vous avez tort d'insister de cette manière.

— C'est vrai, mais je ne puis m'en empêcher. J'ai trop peur de vous perdre.

Ils se turent. Le taxi approchait du New Otani et s'arrêta bientôt devant le perron de l'hôtel. Ils allèrent chercher leurs clés chez le portier.

— Allons Julien, dit Stéphanie, ne faites pas cette tête-là. Venez donc tout à l'heure à l'hôtel. Je serai ravie de vous voir.

8

Cent douze millions de Japonais s'entassent
sur la maigre superficie offerte par mille qua-
rante-deux îles. Serrés les uns contre les autres,
dans les villes comme dans les campagnes, dans
les rues comme dans les trains ou les métros, il
leur a fallu grignoter sur les merveilleux vestiges
du passé pour gagner un peu d'espace vital.
L'implantation d'industries qui ont fait grimper
le Japon au troisième rang des pays industriali-
sés, l'urbanisme sauvage, ont par là même porté
atteinte aux trésors d'une civilisation qui
remonte à la nuit des temps. Les Japonais ont
sauvegardé ce qu'ils ont pu, par respect pour les
grands ancêtres. Et si l'ancienne capitale,
Kyoto, est aujourd'hui une ville comme les
autres, mangée par le modernisme et la pollu-
tion, traversée par des voies à grande circulation, il reste que la cité a du charme si on veut
bien le découvrir. Les temples sont toujours là,
superbes, de même que les jardins, petits mais
magnifiques.

Kyoto est un lieu de passage obligé pour
l'étranger qui met un pied sur le sol japonais.

Aussi, Claude Saint-André, Stéphanie et les autres se dirigeaient-ils ce matin-là vers la gare centrale pour prendre le train le plus rapide du monde.

Ils quittèrent leurs taxis et pénétrèrent dans les bâtiments pour plonger dans une cohue indescriptible, des bousculades énormes. Ils eurent du mal à parvenir jusqu'au wagon où leurs places avaient été retenues. A la queue leu leu, derrière leur guide, ils réussirent tant bien que mal à se frayer un passage et c'est avec un ouf de soulagement qu'ils s'effondrèrent sur leurs sièges.

Christine se massa la cheville qu'elle avait tordue pendant leur course folle.

— J'ai bien cru qu'on n'y arriverait jamais, dit-elle en grimaçant.

Près d'elle, Claude Saint-André s'épongeait le front et se remettait de ses émotions. Stéphanie, auprès de laquelle s'était assis Julien Biron, demeurait silencieuse. Sur son cœur, elle avait mis un télégramme qui lui avait été remis le matin même par le portier de l'hôtel New Otani. Il provenait de Pusan, Corée, et portait ces simples mots :

« J'étais à la présentation. Tu es plus belle que jamais. Clément. »

Depuis son départ de l'hôtel, Stéphanie s'interrogeait sur le sens de ce message. Se voulait-il ironique ? S'agissait-il, pour l'architecte, de tourner une fois de plus en dérision le métier qu'elle faisait ? Ou bien, derrière la banalité du texte, se cachait-il de l'amour ? Une chose était sûre en tous les cas. Il était venu pour l'apercevoir et ce geste réchauffait son cœur. Elle en avait besoin. Sa discussion de la veille avec Julien, les déclarations qu'il lui avait faites l'avaient troublée et finalement agacée. Parler de mariage ne pouvait manquer de la replonger dans un passé qu'elle voulait oublier à tout prix. Elle n'était pas guérie de Clément, elle était trop honnête avec elle-même pour ne pas le reconnaître. Et, aujourd'hui, du fait de l'insistance de l'attaché culturel, elle était placée devant le dilemme suivant : Clément ou Julien. Ou, troisième hypothèse, ni l'un ni l'autre. Mais il lui était difficile de faire comme si Clément n'avait pas existé, difficile également de méconnaître Julien et ses attentions, sa gentillesse, même s'il n'avait pas la séduction de l'architecte. Voilà pourquoi elle aurait souhaité être seule mais les événements se bousculaient et elle sentait ses résolutions l'abandonner.

Elle jeta un regard en biais vers son compagnon de route. Il semblait tout heureux de la promenade qui s'annonçait. Au fur et à mesure que le train fonçait à 250 km/h dans la campagne, il commentait le paysage, les faisait s'extasier sur le Fuji Yama dont les pentes neigeuses semblaient plonger vers la mer. Le paysage était magnifique mais Stéphanie n'y prenait garde. Seul comptait le débat intérieur qui la secouait et pour lequel elle se sentait tout à coup mal préparée. Pourtant, elle s'était crue forte et elle se demanda si son assurance ne l'avait pas poussée à dire des choses définitives lors de sa grande explication avec Clément dans le parc du palais de Séoul.

— Vous semblez bien songeuse !

Elle aurait voulu ne pas répondre mais elle eut pitié du jeune homme.

— C'est vrai, Julien. Ne m'en veuillez pas trop. Je suis mal dans ma peau en ce moment.

— Mais je suis là, Stéphanie.

Pourquoi n'avait-elle pas fait le geste de partir à la recherche de Clément lors de son passage à Pusan ? Lui, il avait songé à venir. Une fois de plus, son orgueil lui avait joué un mauvais tour. Elle avait pensé qu'elle s'abaisserait en allant le voir et elle estimait aujourd'hui que cela avait été une attitude stupide à l'égard d'un garçon avec lequel elle avait voulu faire sa vie. « Restons amis », lui avait-il demandé lors de leur rupture et elle n'avait même pas été capable de lui donner cette amitié qu'il souhaitait conserver. Et, soudain, elle éclata en sanglots. Elle aurait voulu se retenir mais c'était plus fort qu'elle. De chaudes larmes coulaient sur son visage. Autour d'elle, ce fut le silence. Ébahis, Christine, Julien et Claude Saint-André la regardaient sans comprendre.

— Qu'y a-t-il ma chérie ? s'exclama enfin Christine.

Embarrassé, Julien ne savait que faire. Claude s'approcha de la jeune fille.

— Allons ma petite, que pouvons-nous faire ?

Stéphanie parvint à articuler.

— N'y prêtez pas attention, cela va passer. C'est sans doute la fatigue.

Julien la regarda avec inquiétude.

— Vous êtes sûre Stéphanie que je ne peux rien faire pour vous ?

Elle l'apaisa du geste.

— Je vous l'affirme Julien. Laissez-moi, dans quelques instants il n'y paraîtra plus.

Elle sortit un mouchoir de son sac et tamponna ses paupières. Puis elle mit de grosses lunettes noires et s'enfonça davantage dans son fauteuil. Elle s'en voulait d'avoir ainsi attiré l'attention sur elle mais elle n'avait pas pu se contrôler. Elle était trop désemparée. Une image courait dans sa tête, celle de Clément venant l'attendre à la sortie de la Sorbonne, au temps où elle portait des nattes et où elle ne se souciait guère de poser devant des photographes. « J'étais heureuse », se dit-elle. Ne l'était-elle plus à présent ? Au fur et à mesure qu'avançait leur voyage, elle se prenait à en douter. Clément avait réussi à troubler sa belle assurance et l'idée de mener une autre vie faisait son chemin. Déjà elle avait annoncé à Claude Saint-André qu'elle quitterait sa maison de couture à leur retour à Paris mais elle sentait que cela ne suffisait pas, qu'il lui fallait aller plus loin dans sa recherche si elle voulait connaître la paix intérieure.

Stéphanie se découvrit tout à coup terriblement provinciale. Le monde factice dans lequel elle vivait depuis quelques mois lui parut soudain vide et sans intérêt. Il lui manquait la présence rassurante de son père, l'atmosphère oh ! combien apaisante de Jarnac. Bref, elle remontait le cours du temps. Son assurance était tombée d'un coup et les derniers événements l'avaient vidée. La femme forte, la « star » de la maison de couture Claude Saint-

André s'effondrait. Elle aurait voulu se trouver dans la maison familiale des Chabannes et elle imagina que ce serait sa première journée de vacances lorsqu'elle serait rentrée en France.

Elle laisserait ouverte dans la nuit la fenêtre de sa chambre pour être réveillée à l'aube par la lumière et les oiseaux perchés dans les tilleuls. Descendant l'escalier avec discrétion, elle irait chercher Opale, la fidèle Labrador, qui sommeillerait dans la cuisine et toutes deux gagneraient le parc pour une longue promenade sous les arbres, le long des parterres de fleurs alignés au cordeau. Dans les broussailles, au fond du jardin, la chienne débusquerait un lapin et entreprendrait une course folle. Puis, après avoir une dernière fois humé cette odeur de campagne qui la ferait chavirer, elle remonterait vers la maison. Marguerite, qui l'avait vue naître, serait déjà devant ses fourneaux et lui donnerait un bol de café fraîchement passé qu'elle boirait debout tout en bavardant avec la cuisinière. La maison s'éveillerait doucement et ce serait au tour de son père de descendre pour se rendre aux chais. Il lui donnerait rendez-vous pour le déjeuner.

Elle le retrouverait vers une heure à La Ribaudière et, devant un brochet au beurre blanc accompagné d'un Muscadet, elle l'écouterait parler avec gravité du vieillissement des cognacs. Les heures passeraient paisiblement, au juste rythme que l'on sait donner en province pour profiter de chaque instant.

Dans le train-obus qui les conduisait à Kyoto, Stéphanie se sentit tout à coup bien seule. La présence de Julien, même celle de Christine, pour laquelle elle éprouvait une très grande amitié, n'arrivaient pas à la réconforter. Et pour reprendre le dessus, elle dut faire un violent effort de volonté. Elle ôta ses grosses lunettes et s'essaya à sourire.

— Ah, je préfère cela, dit Christine qui lui faisait face. Je n'aime pas que tu sois triste.

Stéphanie se pencha et embrassa son amie, touchée par sa gentillesse.

— Pardonne-moi cet instant de faiblesse. Mais j'ai hâte de rentrer chez moi.

— Clément ? interrogea discrètement Christine profitant que Julien bavardait avec Saint-André. Tu as eu de ses nouvelles ?

Stéphanie lui montra le télégramme qu'elle avait reçu le matin même à l'hôtel.

— Mais alors, s'exclama son amie, tout va bien !

— Oh, je ne sais plus où j'en suis, répliqua tristement Stéphanie.

Son amie posa affectueusement son bras sur ses épaules.

— Si je puis t'aider, n'hésite pas à faire appel à moi, ma chérie.

— Merci, Christine. Je ne l'oublierai pas.

Le train ralentit et entra bientôt en gare de Kyoto. Claude Saint-André en tête, ils ramassèrent leurs bagages et se dirigèrent vers les voitures de louage qui les attendaient. Lors de l'organisation du voyage, il avait été prévu de ne distraire qu'une seule journée pour cette visite. Mais la veille, leurs hôtes japonais avaient beaucoup insisté pour qu'ils la prolongent. Tout en faisant preuve de leur politesse et de leur gentillesse légendaires, ils avaient laissé entendre qu'il serait inconvenant de traverser Kyoto au pas de course, tant la ville était riche en vestiges du passé. Le couturier avait compris que ce serait leur faire injure que de leur opposer une fin de non-recevoir.

Deux cent cinquante-trois sanctuaires shinto, mille cinq cent quatre-vingt-dix-huit temples bouddhistes, un palais impérial, les plus beaux jardins miniaturisés : il y avait effectivement fort à faire pour le touriste qui désirait avoir un aperçu des richesses de Kyoto. Sur le chemin de l'hôtel Miyako, Julien Biron qui en était à sa troisième visite de la ville faisait un cours d'histoire de l'art aux deux jeunes filles qui étaient assises près de lui. Stéphanie l'écoutait, attentive. Nul doute qu'elle était fascinée par les explications de l'attaché culturel et elle regretta que son état dépressif ne lui ait pas permis d'apprécier à sa juste valeur le voyage qu'ils effectuaient dans ce pays à la fois terrifiant et fascinant.

Toute la journée, ils visitèrent les temples et les parcs les plus célèbres, marquant un temps d'arrêt sur l'un des plus beaux jardins zen du Japon. Et lorsqu'ils regagnèrent l'hôtel, ils étaient tous épuisés par leur longue marche. Épuisés mais heureux, tant ces trésors parfaitement préservés insufflaient aux visiteurs une sensation de sérénité. Stéphanie se sentait apaisée. Elle avait retrouvé la paix de l'âme et elle écoutait avec un joli sourire le babillage de son amie. Julien était également ravi de la transformation qui s'était opérée chez la jeune fille. Timidement, au cours de la journée, il s'était approché d'elle et elle avait tout naturellement pris son bras pour franchir les passerelles jetées sur les rivières miniatures.

— Alors, ce chagrin est oublié ? demanda-t-il.

Elle hocha la tête.

— Pardon pour ce matin, dit-elle. J'étais complètement désemparée et je n'ai pas pu me retenir. Merci de votre compréhension.

Il était alors devenu grave.

— Je ne peux pas me résoudre à vous quitter Stéphanie. Quand je songe que dans quelques jours vous allez partir, cela me désespère. Je vais demander à l'ambassadeur de m'accorder un congé exceptionnel.

— Il n'en est pas question, s'écria-t-elle. Vous n'allez tout de même pas me suivre partout. Je vous ai déjà dit de toute manière qu'à mon retour en France j'allais prendre mes distances. Vous perdriez votre temps.

— Mais vous allez m'oublier...

— Voyons Julien, ne soyez pas si modeste. Me prenez-vous pour une ingrate ? Vous avez été parfait pour moi pendant ces quelques jours et, quoi qu'il arrive plus tard, je ne l'oublierai pas.

— Moi je vous aime, Stéphanie. Votre amitié me sera chère mais insuffisante. Je vous le dis une fois encore : je souhaite ardemment que vous acceptiez de devenir un jour ma femme.

— Je ne suis pas mûre pour le mariage et j'ai l'intention de reprendre mes études. Comment ferions-nous, ajouta-t-elle en riant? Vous, diplomate à Séoul, et moi étudiante à Paris! Ce serait un curieux ménage.

— Je pourrais demander au quai d'Orsay de me faire muter en France.

— Ce serait une décision folle qui nuirait sûrement à votre carrière. Gardez-vous en bien.

Elle regarda le jeune homme avec gravité.

— Croyez-moi, Julien, ne faites pas le fou. Cessez de croire que je suis la seule femme au monde qui puisse vous rendre heureux.

Elle s'approcha de lui et, gentiment, posa ses lèvres au creux des siennes. Il voulut la prendre dans ses bras mais elle l'en empêcha.

— Non Julien. Vous m'aviez volé un baiser, je vous le reprends. Restons-en là pour l'instant voulez-vous.

Il s'inclina et la quitta. Stéphanie rejoignit alors Christine qui s'extasiait devant le magnifique collier de perles que renfermait une vitrine. Elles entreprirent de discuter avec le vendeur et ce fut son amie qui, la première, vit sortir Julien de l'ascenseur, la mine catastrophée.

— Que se passe-t-il, s'écria-t-elle?

Stéphanie leva la tête. A son tour, elle aperçut l'attaché culturel qui se dirigeait vers eux. Il paraissait très embarrassé.

— Je viens de téléphoner à l'ambassade de Séoul, dit-il.

— Eh bien, Julien, qu'y a-t-il?

— Stéphanie, pardonnez-moi, mais j'ai une mauvaise nouvelle à vous annoncer. Clément...

Elle pâlit et se retint à la vitrine.

— Quoi... Clément...

144

— Il est arrivé un accident.

Elle ferma les yeux et manqua s'évanouir sous le choc. Elle fit un violent effort de volonté.

— Mort ? demanda-t-elle dans un souffle.

— Non, rassurez-vous. Il est seulement blessé.

— Que s'est-il passé ?

— A Pusan, un échafaudage s'est effondré sur lui alors qu'il visitait un chantier.

— Grave ?

— Ils ne savent pas encore. On l'a transporté à l'hôpital et les médecins ne se sont pas encore prononcés. L'ambassade aura sûrement d'autres nouvelles demain matin.

Stéphanie prit la bras de Christine.

— Je veux partir.

— Où ça ? demanda son amie.

— Là-bas, à Pusan. Il est seul dans cet hôpital. Il peut avoir besoin de moi. Je veux absolument me trouver près de lui.

— Attends au moins d'en savoir davantage.

— Non, je ne peux pas rester là, dans l'incertitude. Je t'en prie, aide-moi.

— D'accord, dit Christine. Viens avec moi, nous allons persuader Claude Saint-André. Cela va être difficile. N'oublie pas que nous avons encore une présentation demain soir. La dernière.

Elles se mirent à la recherche du couturier et le trouvèrent au bar. En les voyant approcher, il comprit tout de suite que quelque chose n'allait pas.

— Que se passe-t-il ?

Christine intervint.

— Il faut absolument que Stéphanie parte.

Le couturier fut stupéfait.

— Partir ? Où ? Pourquoi ?

— Clément Durot a été victime d'un accident, sans doute grave. Il faut qu'elle prenne le plus vite possible l'avion pour Séoul.

— Mais ma collection ? gémit-il.

Il s'arrêta devant le regard sévère que lui jetait Christine.

— Comment allons-nous faire ? demanda-t-il radouci.

— Je me débrouillerai avec Agnès, n'ayez crainte. Il serait inhumain de la retenir ici.

— Soit, fit-il résigné.

Puis, mesurant mieux l'état dans lequel se trouvait Stéphanie.

— Viens ma chérie, on va essayer d'arranger cela à la réception.

Ils se dirigèrent vers le portier, accompagnés de Julien qui était triste. Le choc que venait d'éprouver Stéphanie en apprenant l'accident de Clément était la preuve que la jeune fille était toujours amoureuse de l'architecte. Cela sonnait le glas de ses espérances. Mais il s'en serait voulu de manifester son dépit en cette circonstance et de ne pas faciliter le départ de la jeune fille.

Après s'être entretenu avec le portier, Claude Saint-André revint vers le groupe.

— Il y a un train pour Tokyo dans deux heures. Cela te laisse largement le temps, dit-il en s'adressant à Stéphanie. Le premier avion pour Séoul part demain à 7 heures du matin.

— Je vais appeler à nouveau l'ambassade,

146

intervint Julien. Peut-être pourront-ils envoyer une voiture pour vous chercher à l'aéroport et pour vous faciliter les formalités de débarquement.

— Merci, Julien, murmura-t-elle très touchée des attentions du jeune homme.

Elle posa sa main sur son bras et l'attira à l'écart.

— Vous le voyez, il ne fallait pas que je vous encourage. Malgré tout ce qui ce qui a pu se passer entre Clément et moi ces dernières semaines, je reste amoureuse de lui. L'accident qui vient de lui arriver me fait mesurer davantage encore l'attachement que j'éprouve à son égard. Clément a besoin de moi et plus rien ne compte. M'en voulez-vous ?

— Non, Stéphanie, c'est impossible. Mais ce sera dur, très dur de vous oublier.

— Vous y parviendrez, j'en suis sûre.

Elle l'embrassa sur la joue.

— Adieu Julien.

Il protesta.

— Mais je veux vous accompagner jusqu'à Séoul.

— Inutile, Julien. Je saurai très bien me débrouiller. Et j'ai terriblement envie d'être seule à présent. Vous le comprenez j'espère ?

— Très bien, Stéphanie. Je respecte votre volonté bien qu'il m'en coûte terriblement.

La jeune fille monta dans sa chambre et il ne lui fallut que quelques minutes pour boucler sa valise. Quand elle redescendit dans le hall de l'hôtel, un chauffeur et une voiture l'attendaient devant la porte et, deux heures plus tard, elle était dans le train qui filait dans la nuit vers Tokyo. A peine arrivée dans la capitale, elle se fit conduire à Haneda et trouva une chambre dans un des hôtels de l'aéroport. Elle ne voulait pas manquer la première liaison pour Séoul.

Quand elle fut allongée sur le lit, elle pensa très fort à Clément. Les derniers événements lui avaient soudain révélé la profondeur des sentiments qu'elle éprouvait pour l'architecte. Jusqu'à présent, ils avaient tous les deux joué au jeu du chat et de la souris. Elle, surtout, puisque, depuis quelques mois, elle estimait qu'elle avait laissé son intérêt personnel prendre le pas sur ses sentiments.

— J'ai été folle, se dit-elle. J'allais passer à côté d'un très grand bonheur. Par ma faute.

Aujourd'hui, elle savait qu'il n'y avait plus qu'une chose qui importait : vivre avec Clément, devenir sa femme. La querelle qui les avait opposés ces derniers mois lui parut bien futile. En faisant connaissance de l'architecte, dès le premier soir, elle avait eu l'intuition qu'il était l'homme de sa vie. Mais l'existence qu'elle avait choisie l'avait détournée du bonheur tranquille qui l'attendait. Elle mesura la tristesse qui devait étreindre le cœur de l'architecte. N'avait-elle pas fait preuve d'une grande insouciance à l'égard de cet homme généreux et profond, qui s'était fixé une conduite de vie d'où toute facilité était absente ?

Lorsqu'elle avait voulu qu'il partage sa nouvelle existence dans un milieu qu'il abhorrait, il avait refusé en dépit de l'amour qu'il éprouvait pour elle. Et il avait eu raison. Il avait timidement crié casse-cou mais elle avait fait la sourde oreille et, à présent, elle savait que c'était lui qui avait vu juste depuis le début. Elle n'était pas faite pour cette vie qui l'avait attirée pour un temps. Son éducation, ses aspirations secrètes la destinaient en fait à se tourner vers les vraies valeurs.

Elle pensa à son père qui avait fait preuve d'une certaine réticence lorsque, il y a quelques mois, elle lui avait annoncé qu'elle abandonnait ses études pour entrer dans la maison de couture de Claude Saint-André. Avec intelligence, il s'était bien gardé de la détourner de son projet, de la critiquer. Simplement, il lui avait dit :

— Je regrette que tu abandonnes ta licence de lettres.

— Mais, papa, je m'ennuie à la Sorbonne. C'est formidable ce que l'on me propose. Ce doit être follement amusant.

— Fais ce que tu veux Stéphanie. Je me garderai bien de m'opposer à ton projet. Mais je pense que tu déchanteras assez vite.

Il avait eu raison bien sûr. Comme Clément. Elle s'était emballée parce qu'elle n'avait que vingt ans ce qui était une excellente excuse. Clément ferait-il preuve d'autant d'indulgence que son père ? Lui pardonnerait-il ?

Elle regarda sa montre. Il lui fallait attendre encore trois heures avant de se rendre à l'aérogare. Le temps lui parut désespérément long. Elle n'avait pas encore fermé l'œil, et le sommeil la surprit tout d'un coup. Lorsque le portier de l'hôtel la réveilla, il lui sembla qu'elle n'avait dormi que quelques minutes. L'avion l'emporta bientôt vers Séoul, vers l'homme qu'elle aimait par-dessus tout et qui gisait sur un lit d'hôpital. Fracassé. Mort peut-être. Un grand froid la saisit. Arriverait-elle trop tard ?

Max Gimaire, l'attaché commercial de l'ambassade de France, l'attendait à la sortie de l'aérogare.

— Alors ? interrogea-t-elle fébrilement.

— Rassurez-vous, c'est moins grave qu'on ne le pensait. Il a la jambe cassée en plusieurs endroits. Elle a été prise sous un madrier. Dieu merci, il n'a rien au crâne. Seulement une éraflure.

Ainsi, il était vivant. Elle fut envahie d'un immense bonheur. Elle avait hâte de le voir, de lui dire son amour, de le soigner.

— Où est-il ? demanda-t-elle.

Max Gimaire prit l'air embarrassé.

— C'est-à-dire que...

— Mais enfin répondez-moi !

— Il n'est plus en Corée. On l'a embarqué hier sur une civière à bord d'un DC-10 de Korean Airlines.

— Déjà ! Comment se fait-il ?

— En fait, expliqua-t-il, l'accident remonte à une semaine mais nous n'avons été avertis qu'hier. Il avait été transporté d'urgence à l'hôpital de Pusan et ce n'est qu'après l'intervention chirurgicale — il a fallu réduire ses fractures — qu'on a prévenu l'ambassade de France. Ce n'est même pas lui qui a téléphoné, mais le chirurgien. Clément Durot désirait retourner en France, et l'hôpital a autorisé son déplacement.

En fait, le premier averti avait été le secrétaire

d'État, Kim Chung Shik. Clément se trouvait en compagnie d'un de ses collègues coréens lorsque l'accident était arrivé, et ce dernier l'avait aussitôt fait transporter à l'hôpital avec le plus de précautions possible. Puis, il s'était rendu dans le bureau du directeur pour téléphoner aux services de Kim afin de le faire prévenir.

Le secrétaire d'État avait aussitôt pris l'affaire en main. Non seulement parce que Clément Durot était l'hôte du gouvernement coréen, mais aussi parce qu'il éprouvait une sincère amitié pour le jeune architecte. Lors de leurs entretiens, il avait su apprécier ses qualités et il était profondément désolé de ce qui venait d'arriver.

Il donna l'ordre au directeur de l'hôpital de lui donner des nouvelles deux fois par jour et lorsque le chirurgien lui eut personnellement assuré que Clément était transportable, il avait tout organisé pour respecter sa volonté de retourner en France. A sa demande, l'armée de l'air avait expédié un avion de transport militaire Hercules à Pusan dont la mission était de faire l'aller et retour vers Séoul afin d'embarquer le blessé à bord du DC-10 régulier de Korean Airlines.

Précédée de motards qui actionnaient leurs sirènes, la voiture de Kim pénétra sur le terrain d'aviation militaire, quelques minutes après l'atterrissage de l'Hercules. Le secrétaire d'État tenait à dire adieu à l'architecte. Deux militaires portaient la civière vers l'aérogare et lorsqu'ils l'aperçurent, ils la posèrent à terre et se mirent

151

au garde-à-vous. Clément tourna la tête et grimaça un sourire.

— Désolé, monsieur le ministre, j'ai été très maladroit. Je vous abandonne bien vite.

Le secrétaire d'État remarqua le regard fiévreux, la barbe de plusieurs jours. Il posa une main amicale sur son épaule.

— Ne vous faites pas de soucis, monsieur Durot. D'après ce qui m'a été dit à Pusan, vous aviez déjà réalisé des esquisses très belles, et vos adjoints pourront poursuivre votre travail grâce à vos indications. Et je suis persuadé que vous reviendrez bientôt pour achever votre œuvre. Je n'ai qu'un souhait à formuler : remettez-vous vite et dites-vous que vous serez toujours le bienvenu dans notre pays. Nous sommes très honorés de travailler avec des gens de votre qualité.

Kim fit un signe. Les deux militaires prirent à nouveau le brancard et se dirigèrent vers l'aérogare. Le secrétaire d'État fit à Clément un geste d'adieu pendant que ce dernier était installé à bord d'une voiture qui le conduisit au pied de la passerelle du DC-10. Avec beaucoup de soins, on l'installa à l'arrière, dans un espace qui avait été aménagé après que les employés de l'aéroport eurent enlevé quelques sièges. Pendant les vingt heures de vol, on se relaya à son chevet pour prévenir le moindre de ses désirs.

On avait donné des calmants à l'architecte et, pour lui, le voyage s'effectua dans une sorte de brouillard. Il rêva tout haut et, dans son délire, il crut que l'hôtesse qui se penchait vers lui était Stéphanie. Il voulait lui parler, lui dire son amour, mais il n'arrivait pas à formuler ses phrases.

A Orly, un de ses amis, architecte, l'attendait avec une ambulance et il l'emmena vers une destination inconnue.

9

A Jarnac, Stéphanie retrouva le rythme de vie de sa tendre jeunesse. Elle montait tôt se coucher le soir et elle laissait la fenêtre de sa chambre grande ouverte. Cette fin du mois de septembre était particulièrement belle dans les Charentes. Tôt levée le matin, elle allait chercher le Labrador et s'en allait dans le parc pour effectuer une promenade matinale. Tout était calme, paisible. Opale fourrait son museau dans les buissons alourdis par la rosée tandis que sa maîtresse arpentait les allées sous les tilleuls. Pour Stéphanie, c'était le retour aux sources, le réapprentissage d'une joie profonde, celle qui donne la paix de l'âme. Mais sa joie était imprégnée de tristesse. Depuis trois semaines qu'elle était de retour et qu'elle avait retrouvé le paysage de son enfance, elle était sans nouvelles de Clément. Il avait disparu. A peine débarquée de Paris, elle avait téléphoné à son bureau, mais l'adjoint de l'architecte, qui lui avait répondu, était resté très évasif.

— Je suis désolé, mademoiselle, mais je ne puis vous donner son adresse.

— Vous l'ignorez ?

— Euh… oui.

Elle n'avait pas été dupe.

— C'est lui, n'est-ce pas, qui vous a demandé de garder le silence ?

— Mais non, mademoiselle, qu'allez-vous imaginer !

Elle avait raccroché. Les réponses hésitantes et maladroites de son interlocuteur étaient la preuve que la consigne de discrétion venait de Clément. Cela signifiait qu'il ne souhaitait pas la revoir. Le message était clair. Elle avait éclaté en gros sanglots.

Alors elle s'était souvenu…

— Il a besoin de moi, avait-elle crié à Kyoto en apprenant l'accident dont il venait d'être victime.

Puis, cela avait été son retour angoissé vers Tokyo, son attente à l'aéroport pour sauter dans le premier avion à destination de Séoul, sa déception en apprenant de la bouche de l'attaché commercial que Clément s'était envolé la veille pour Paris. Elle qui avait voulu accourir à son chevet pour l'aider, l'apaiser, lui dire son amour totalement retrouvé. En regagnant Paris, le soir même, elle pensait encore que rien n'était perdu, qu'elle allait le retrouver très bientôt et qu'ils pourraient enfin goûter au bonheur qu'elle appelait de ses vœux. Mais elle s'était heurtée à un mur de silence et elle n'avait pu retrouver sa trace. Alors, elle avait pris avec une infinie tristesse le chemin des Chabannes où son père lui avait ouvert les bras.

En l'accueillant, il avait tout de suite compris que quelque chose n'allait pas mais il s'était bien gardé de poser des questions. Il savait que, tôt ou tard, elle voudrait se confier à lui et, un soir, alors qu'ils avaient terminé leur dîner et qu'ils passaient dans son bureau, elle lui avait tout raconté. Sa rencontre avec Clément, son expérience de mannequin, la surprise de l'architecte à son retour du Caire, leur départ pour la Corée, leur rupture, l'accident enfin. Avec tendresse, il l'avait prise dans ses bras, et elle avait caché ses larmes dans sa grosse veste de chasse.

— Garde confiance ma petite. Je t'affirme que tu le reverras un jour et que vous serez enfin heureux.

Elle avait secoué la tête.

— Mais il m'en veut, il me fuit. J'ai cherché par tous les moyens de le retrouver pour lui dire que j'étais redevenue la jeune fille qu'il avait connue. Il se cache, il ne veut plus me voir.

Il avait réussi à l'apaiser.

— Reste avec moi aux Chabannes pendant quelque temps. Cela te fera le plus grand bien. Avant toute chose, il faut que tu retrouves la sérénité. Ton équilibre en a pris un coup avec tous ces événements. Quand tu l'auras retrouvé, tu verras que tout te semblera plus simple et que tu sauras ce qu'il te convient de faire. Pour l'instant, laisse-toi vivre, laisse-nous nous occuper de toi.

La vieille Marguerite et son père s'étaient parfaitement occupés d'elle et l'air vivifiant des Chabannes avait fait le reste. Le soleil avait hâlé son teint pâle de Parisienne et les bons plats de la cuisinière avaient comblé le creux de ses joues. Elle avait jeté à la poubelle tous les produits de beauté dont elle usait lorsqu'elle était mannequin et se permettait juste une touche de rouge sur les lèvres lorsque son père recevait des amis chers à dîner et qu'il lui demandait de présider la table.

En même temps que son équilibre, elle avait retrouvé le sens des vraies valeurs. Plus que jamais, elle était profondément amoureuse de Clément mais, au désespoir qu'elle avait éprouvé en arrivant aux Chabannes, avait succédé une grande confiance. Elle savait, elle était sûre à présent qu'un jour, ils seraient à nouveau réunis et que rien, plus rien, ne pourrait empêcher leur bonheur.

Son père était heureux de voir la transformation qui s'opérait chez sa fille. Et, lorsqu'elle lui proposa un jour d'aller le chercher aux chais, il sut que la partie était gagnée. Pour sa première sortie des Chabannes depuis son retour à Jarnac, elle voulut faire honneur à son père qui avait décidé de l'emmener, comme ils avaient coutume de le faire dans le passé, déjeuner à la Ribaudière.

Elle se glissa dans une robe claire très simple et laissa ses longs cheveux auburn couler sur ses épaules. Autour de son cou, elle mit le collier de perles fines que lui avait offert Claude Saint-André à Kyoto au moment de son départ précipité vers Tokyo puis Séoul.

— Avec mon affectueuse amitié, avait-il dit en lui tendant la boîte.

Comme elle était bouleversée par l'accident

158

de Clément elle n'y avait pas pris garde et l'avait alors rangée dans son sac. C'est seulement aux Chabannes qu'elle avait défait le ruban et découvert ces perles très belles que sa peau bronzée mettait ce jour-là merveilleusement en valeur.

Arrivée dans la cour, elle enfourcha son vélomoteur et prit la direction de Jarnac. Les deux kilomètres furent vite avalés et elle arriva bientôt dans le quartier des chais. Dans son bureau, son père discutait avec deux employés et il lui demanda de patienter. Elle en profita pour se promener dans le vaste hangar que l'évaporation de l'alcool avait noirci. L'odeur familière, très particulière, qui s'échappait des cuves emplit ses narines. Elle salua au passage les vieux ouvriers qu'elle connaissait depuis sa plus tendre enfance et qui avaient aidé son père à réussir son entreprise. Car ce dernier n'avait pas toujours eu la position sociale qui était la sienne aujourd'hui. Il avait durement travaillé, avec son cœur et son intelligence, pour devenir l'un des meilleurs négociants de cognac. La lutte avait été sévère surtout au début, car ses concurrents avaient difficilement admis qu'un fils de médecin réussisse à leur tailler des croupières.

Au fil des ans, Georges Morel s'était donc imposé et un jour, il avait pu réaliser un vieux rêve, acheter la propriété des Chabannes qu'il guignait depuis longtemps. Sa femme tôt disparue, il l'avait conservée bien qu'elle fût devenue trop grande car il s'en serait voulu de priver Stéphanie du décor de son enfance.

— Alors mademoiselle Stéphanie, vous êtes de retour parmi nous ?

Hector, le maître de chais, s'avançait vers elle avec un large sourire.

— Tout au moins pour les vacances. Je me sens si bien ici.

— Vous savez, depuis que vous êtes aux Chabannes, votre père est transformé.

C'est vrai qu'il devait parfois trouver le temps long entre la vieille Marguerite et Opale. Elle s'en voulut de son insouciance qui lui avait fait déserter ces derniers mois la demeure paternelle et elle se promit à l'avenir de prendre plus souvent le chemin de Jarnac.

— Alors ma fille, tu reconnais les lieux ? Rien n'a changé depuis ta dernière visite, tu sais. Tout au plus, nos cheveux ont-ils blanchi un peu plus. Mais nous faisons toujours l'un des meilleurs cognacs de la région. N'est-ce pas Hector ?

Ils arboraient tous les deux un large sourire et la chaude amitié qui les unissait émut profondément Stéphanie. Elle se sentit bien auprès d'eux.

— Viens ma chérie, allons déjeuner. Tu es particulièrement ravissante et je sens que je vais faire des jaloux.

De fait, à la Ribaudière, leur entrée ne passa pas inaperçue. Les vieux amis de Georges Morel reconnurent bien entendu Stéphanie, les autres envièrent cet homme mûr, d'une grande élégance naturelle, qui était accompagné d'une si jolie femme. Louis, le patron, les fit asseoir à une table qui se trouvait près de la fenêtre et, sur ses conseils, ils commandèrent un civet de lièvre

160

qu'ils firent accompagner d'un Châteauneuf-du-Pape corsé.

— J'ai une lettre pour toi, lui dit son père en lui tendant une enveloppe.

Elle regarda aussitôt le timbre. La lettre venait de Séoul. Ce n'était donc pas Clément ! Elle avait eu une fausse joie.

— Ma chère Stéphanie, lut-elle, Séoul sans vous est ennuyeuse à mourir. Les réceptions à l'ambassade me paraissent à présent bien fades et je tourne en rond. Je reste persuadé que j'aurais pu vous rendre heureuse si vous aviez seulement voulu vous détourner de l'architecture pour vous intéresser à la diplomatie. J'espère que vous avez retrouvé votre grand blessé. Je vous embrasse, Julien.

Elle eut un petit sourire, le ton de la lettre l'amusait. Elle gardait un bon souvenir de l'attaché culturel qui, s'il l'avait agacée au début, avait su faire preuve de qualités indéniables. Il s'était montré attentionné, efficace, et il avait accepté avec une grande dignité de s'effacer. Il avait eu l'intelligence de comprendre que la jeune fille n'éprouvait à son égard que de l'amitié et que ses pensées étaient tournées vers Clément.

— Ce ne sont pas les nouvelles que tu attendais ? lui demanda son père.

Elle fit non de la tête. Louis apportait lui-même le civet et il entreprit de les servir. Elle attendit qu'il eût terminé.

— Je ne sais toujours pas ce qu'il est devenu. J'ai écrit une lettre à son intention et je l'ai envoyée à son bureau il y a une dizaine de jours.

161

Je n'ai toujours pas eu de réponse. Peut-être n'y en aura-t-il jamais, ajouta-t-elle.

Son père l'apaisa.

— Je t'ai demandé de garder confiance, Stéphanie. Viendra bien le moment où vous serez réunis. Fais preuve de patience, je t'en prie.

— Soit. Mais je m'en veux terriblement de ne pas être près de lui alors qu'il doit avoir besoin de moi. Jusqu'à quel point était-il atteint, comment s'effectue son rétablissement ? C'est cette incertitude qui me rend malade.

— Allons Stéphanie, ne dramatise pas. Je suis persuadé que tout se passe le mieux du monde et que tu vas bientôt le voir réapparaître.

Le Châteauneuf-du-Pape avait rosi ses joues, et leur conversation avait pris un tour plus animé. Le civet était succulent et ils glissaient tous deux vers la béatitude agréable qui suit les bons repas.

Au café, il l'interrogea.

— Que vas-tu faire à présent ?

— Tu veux déjà me chasser, dit-elle pour le taquiner.

Il se récria vivement.

— Ne dis pas de sottises. Mais je sais bien qu'un jour, tu me regarderas d'une façon particulière pour me préparer à ton départ. Il sera venu à nouveau le temps de nous quitter.

— Et tu seras triste.

— Oui, bien sûr. Mais en même temps, je serai ravi car si tu t'en vas, cela voudra dire que tu seras fixée sur ce que tu entends faire. Alors, tu vas retourner chez Saint-André ? demanda-t-il en souriant.

162

— Jamais, s'écria-t-elle. J'irai juste les voir pour leur dire bonjour.

— Alors ?

— Je vais te faire plaisir. Je vais retourner à la Sorbonne que je n'aurais jamais dû quitter.

— Ne dis pas cela, il ne faut jamais regretter le passé. Peut-être que cette épreuve que tu es en train de traverser te sera bénéfique.

Il désigna l'enveloppe qui était restée sur la table.

— Tu as eu un sourire attendri tout à l'heure en lisant la lettre. C'est un de tes amis ?

— Oui, dit-elle. Il a cru un instant que je pourrais l'aimer. Lorsqu'il a compris qu'il n'en était rien, il a su s'effacer. Il était charmant et amusant.

— Mais c'est Clément que tu aimes.

— Plus que jamais.

Elle se souvenait, mot pour mot, du message qu'elle lui avait adressé douze jours auparavant. Elle l'avait écrit un matin en revenant de sa promenade matinale. Prise d'une impulsion subite, elle s'était précipitée vers son petit bureau pour rédiger cette lettre.

« Clément,

« J'ai tout compris et je veux te le dire. La vie aujourd'hui n'a plus le même sens et j'ai hâte de te revoir. Ne me fais pas attendre Clément, ne perdons pas davantage de temps. Je t'aime. Stéphanie. »

Elle l'avait adressée au cabinet d'architecture où les adjoints de Clément continuaient de travailler. Un peu comme on jette une bouteille à la mer. Mais, pour l'instant, son attente était négative.

Georges Morel régla l'addition. Ils se levèrent et se dirigèrent vers la porte accompagnés par Louis. Quand ils furent dehors, il lui demanda :

— Tu viens aux chais ou tu retournes à la maison ?

— Je vais aux Chabannes, dit-elle.

Elle enfourcha le Peugeot et, après avoir embrassé son père sur la joue, prit la direction de la propriété. Opale lui fit fête. Elle l'emmena se promener sous les tilleuls.

*
* *

Clément se dressa sur sa chaise longue et saisit les jumelles sur la table de jardin. Il les braqua sur la mer et repéra bientôt le pointu qui filait sur son erre. Il y avait menace de vent d'Est et il se dit qu'Albert n'allait pas tarder à prendre le chemin du retour. Il était parti tôt le matin pour pêcher la soupe de poissons à la palangrotte et il devait avoir suffisamment de girelles dans le fond du bateau.

Il était dix heures et pendant que le soleil jouait à cache-cache avec les nuages en cette mi-novembre, Clément se dit que la vie était belle mais que l'inaction commençait à lui peser. Sa jambe ne le faisait presque plus souffrir et, depuis quelques jours, il se risquait à effectuer des pas sur la terrasse à l'aide de béquilles. Il mourait d'envie de se plonger à nouveau dans son travail, surtout depuis qu'il avait reçu de Séoul une lettre de Kim Chung Shik.

164

« Soyez tranquille, mon jeune ami, disait-elle. Tout se réalise selon vos plans et les travaux sont bien avancés. Soignez-vous bien et, dès que vous serez remis, n'hésitez pas à venir nous voir. Vous savez que vous serez toujours le bienvenu. »

Par des voies détournées, Clément avait reçu une autre lettre qu'il avait pieusement enfouie dans son portefeuille. « Ne me fais pas attendre, je t'aime », lui disait Stéphanie dans le petit mot qu'elle avait envoyé à son bureau et que son adjoint avait aussitôt fait suivre. Il y avait presque deux mois de cela. Et, aujourd'hui, le temps était venu d'aller la rejoindre.

Depuis son retour en France, il avait volontairement gardé le silence parce qu'il ne voulait pas offrir à la jeune fille qu'il aimait l'image d'un homme malade, diminué. La convalescence avait été rude, la rééducation particulièrement pénible. Et si sa jambe était aujourd'hui en voie de complète guérison, il le devait en très grande partie à cette lettre de Stéphanie qui lui avait, sans qu'elle s'en doute, redonné le goût de la lutte. Dans l'avion qui le ramenait de Séoul vers Paris, il avait perdu son moral. Stéphanie était partie, et cet accident stupide l'empêchait de poursuivre son œuvre à Pusan. Aujourd'hui, la situation était inversée. Kim lui donnait de bonnes nouvelles et, surtout, il savait que la jeune fille l'attendait. Bientôt, très bientôt, il allait la prendre par la main et tout serait comme avant. Il corrigea : mieux qu'avant.

Sa tante Camille vint sur la terrasse. L'ambulance qui attendait l'architecte à Orly, lors de son retour précipité, l'avait conduit tout droit chez elle, au cap d'Antibes, où elle vivait à longueur d'année dans un mas au milieu des pins. Elle avait toujours éprouvé beaucoup d'affection pour ce neveu indocile et brillant qui se moquait des convenances. Elle-même n'avait-elle pas été championne de golf et d'équitation à une époque où il était de bon ton pour les femmes de ne pas quitter leur boudoir ? Elle s'était attachée à le soigner avec la complicité d'Albert, ce vieux marin qui entretenait le pointu et qui, pour faire plaisir à Clément, allait pêcher des loups dans des coins connus de lui seul. Ou bien, il venait à l'heure du pastis lui raconter ses campagnes, du temps où il était bosco sur un escorteur de la marine nationale.

— Comment te sens-tu aujourd'hui ? lui demanda Camille.

— Fort bien ma chère tante. Je me sens capable de faire le tour du cap d'Antibes.

— Pas question, gronda-t-elle. Le docteur a bien recommandé d'agir progressivement. Il serait stupide que ta guérison soit remise en question par trop de précipitation. Je ne te laisserai pas commettre d'imprudences.

Moqueur, il brandit sa canne anglaise dans sa direction et s'écria.

— Je te vois venir. Tu veux à tout prix me garder ici le plus longtemps possible.

Elle haussa les épaules pour cacher son émotion car, bien entendu, il avait vu juste. Elle avait été tellement heureuse de l'accueillir chez elle et de le soigner avec amour pendant ces longues semaines.

— Je ne me fais pas d'illusion Clément. Je sais très bien que tu vas bientôt me quitter pour reprendre le chemin de Paris. Quoi qu'il m'en coûte, je me suis faite à cette idée. Je sais que j'ai une rivale, ajouta-t-elle en souriant.

— Une rivale ?

— Tu ne m'en as jamais parlé mais, lors de ton arrivée ici, il y a plus de deux mois, je t'ai entendu prononcer à plusieurs reprises un prénom dans ton délire. Celui de Stéphanie. Et j'ai comme l'idée que tu meurs d'envie de la retrouver le plus vite possible.

Il hocha la tête gravement.

— C'est vrai, Camille. Grâce à toi, je suis de nouveau d'aplomb et je veux à présent aller la retrouver pour lui demander de devenir ma femme. Elle m'attend depuis mon retour en France, elle me l'a écrit, et je ne me sens pas le droit de différer mon retour.

— Tu l'aimes tant que cela ?

— Oui, je l'aime, répondit-il. Je l'aime profondément. Ma vie n'aurait plus de sens si je ne devais plus la revoir. Nous avons bien failli nous séparer à jamais, du fait de mon intransigeance. Mais il s'est produit comme un miracle. Nos yeux se sont ouverts. Sans nous concerter, sans nous revoir, nous avons compris que notre première impulsion était la bonne, que nous étions faits l'un pour l'autre. Nous avons oublié nos querelles, nos dissensions. Mieux, ces épreuves que nous avons traversées nous ont été bénéfiques. Elles ont renforcé l'amour que j'éprouve pour Stéphanie et je suis persuadé qu'il en est de même pour elle.

— Et elle t'attend?

— Elle m'attend, confirma-t-il avec beaucoup de douceur. Elle me l'a écrit. Je le sais.

Ils aperçurent le pointu qui rentrait à l'abri dans le petit port. Le ciel devenait menaçant, et Camille aida Clément à rentrer dans la salle de séjour. Ils venaient à peine de pénétrer dans la pièce que l'orage éclata. Et c'est un Albert ruisselant qui vint leur montrer le produit de sa pêche.

— Voilà la soupe, madame Camille.

Elle emporta le sac à la cuisine pour faire l'inventaire. Il y avait des girelles, trois rascasses et un congre. Après les avoir coupés en morceaux, elle les jeta dans une casserole où attendaient des oignons, des poireaux et des tomates revenus à l'huile d'olive. Après avoir arrosé le tout de vin blanc, un Bandol qu'elle gardait pour ces occasions, elle laissa mariner à petit feu pendant qu'elle préparait la rouille. Dans le même temps, Albert avait dressé la table près de la fenêtre dont les vitres étaient battues par la pluie.

— C'est le mauvais temps qui s'installe, bougonna le marin. On en a pour jusqu'en décembre à être mouillés. Et puis, voilà que vous allez partir maintenant.

— Comment le savez-vous?

— Vous croyez que je ne sais pas, allez, que vous comptez les jours? Et madame Camille me l'a confirmé hier. Quand est-ce que vous allez nous quitter?

— Demain soir.

— Si vite!

L'exclamation avait échappé à sa tante qui venait de pénétrer dans la pièce avec la soupière fumante.

— Oui, Camille. Je prendrai le train de nuit car je serai mieux allongé sur une couchette qu'assis dans l'avion. Il est temps que je parte.

— Comme tu voudras, dit-elle avec une certaine tristesse. Albert ira te chercher un billet à la gare. En attendant, attaque la soupe. Tu n'en mangeras pas de pareille de sitôt. A moins que tu ne viennes ici pour nous présenter ta femme.

— Tu brûles les étapes, ma chère tante. Attends au moins que je la retrouve. Vous serez bien entendu de la noce.

Le lendemain, il se leva plus tôt que d'habitude, comme s'il voulait mieux se préparer au départ. Quand l'heure fut venue, il embrassa affectueusement Camille qui essuya une larme et, s'appuyant sur Albert, s'installa délicatement dans la vieille Renault de sa tante. Une demi-heure plus tard, le marin l'aidait à s'installer sur sa couchette et posait sa valise dans le filet. Il eut juste le temps de redescendre sur le quai. Le train s'ébranla et fila bientôt vers Paris.

* *
*

Stéphanie regarda sa montre. Il était midi trente. Le cours auquel elle venait d'assister se terminait à peine et elle mourait d'envie de sortir de la Sorbonne pour faire quelques pas. Elle enfila son imperméable sur son pull-over à col roulé et son blue jeans, et posa sur sa tête un béret. Elle était prête à affronter les éléments.

Elle était revenue à la Sorbonne le premier jour de la rentrée universitaire afin de terminer sa licence de lettres abandonnée sous la pression de Claude Saint-André. Son passé de mannequin lui paraissait bien lointain à présent. A son retour à Paris, elle avait rendu une visite chez le couturier rue du Faubourg-Saint-Honoré pour dire bonjour à Saint-André et le remercier du collier de perles dont il lui avait fait cadeau. Depuis, elle ne bougeait pas de la rive gauche, restant le plus souvent possible dans ce studio du quai Voltaire qu'elle avait retrouvé avec plaisir. La seule personne admise à y pénétrer était Christine qu'elle continuait à voir souvent et qui venait certains soirs pour lui tenir compagnie. La verve de son amie lui faisait le plus grand bien et l'empêchait de céder à la mélancolie.

Car elle était toujours sans nouvelles de Clément. Cela faisait deux mois qu'elle lui avait écrit des Chabannes, deux mois qu'elle attendait une réponse qui ne venait toujours pas. Elle avait failli tenter une nouvelle fois sa chance et téléphoner à son bureau. Mais elle y avait renoncé. Car elle était sûre que son message était parvenu à Clément et qu'il ne servirait à rien d'insister. Son père était venu la voir à Paris pour un week-end et il l'avait trouvée changée.

— Tu te ronges, lui avait-il dit. Tu es en train de perdre le bénéfice de ton passage aux Chabannes. Tu ne peux pas rester dans cette incertitude, ma chérie. Insiste auprès de ses collègues pour qu'ils te donnent son adresse. Il faut que tu sois fixée.

— Non, papa. Tu m'as toi-même demandé de

garder confiance. Souviens-toi de notre conversation dans ton bureau. J'espère toujours que nous nous retrouverons. Il faut laisser faire le temps.

Stéphanie affichait devant son père une assurance qu'elle était loin de partager. Et surtout, le manque de nouvelles la faisait s'inquiéter sur l'état de santé de Clément. Comment s'en était-il sorti de son terrible accident ?

Son père était reparti pour Jarnac très inquiet et il l'appelait souvent pour avoir de ses nouvelles. Mais la réponse était invariable. Non, je n'ai pas eu de ses nouvelles. Mais peut-être que demain...

Elle emprunta le long couloir, poussa la porte et se retrouva dehors. Et c'est alors qu'elle eut un choc. Assis sur le banc où il avait coutume de l'attendre, il y avait Clément. Un Clément amaigri qui avait posé près de lui sa canne anglaise et qui la regardait s'avancer avec un bon sourire. Quand elle ne fut plus qu'à quelques mètres, il se dressa difficilement, se tenant d'une main au dossier du banc. La pluie avait collé ses cheveux rebelles mais il ne s'en souciait guère. Ses yeux clairs brillaient de joie en apercevant le visage qui hantait ses nuits, l'ourlé des lèvres, les longs cheveux mal emprisonnés sous le béret, la silhouette toujours élégante.

En apercevant Clément, Stéphanie avait senti un grand froid l'envahir, comme si le sang avait arrêté de couler dans ses veines. L'émotion était trop forte et elle s'appuya contre le battant de la porte, le temps de reprendre ses esprits. Ainsi, il était venu, il était là. Voici que prenait fin cette longue incertitude qui la traumatisait depuis plus de deux mois. Le moment était à nouveau venu de faire des projets d'avenir, de partager ses peines et ses joies avec l'être qu'elle chérissait par-dessus tout.

Elle s'avança, elle courut vers lui. Maladroitement, il lui tendit une main dans laquelle elle posa doucement la sienne. Leurs regards étaient plantés l'un dans l'autre et ils y lurent chacun beaucoup d'amour.

— Je suis venu te chercher, dit-il simplement.

— Je t'attendais.

Il posa son bras sur ses épaules et la tint serrée contre lui.

— Tu veux bien que nous fassions la route ensemble ? lui murmura-t-il à l'oreille.

— Oui, Clément.

— Alors, viens.

10

— Et que je ne vous y reprenne pas, gronda la vieille Marguerite.

Deux rires espiègles répondirent aux menaces de la brave cuisinière qui tentait de réparer les dégâts qu'avaient faits Marie et son petit frère. La première avait eu l'idée saugrenue de préparer du caramel mais elle s'y était prise de telle façon que la casserole était irrécupérable. Du haut de ses sept ans, Marie narguait Marguerite qui tentait de prendre une attitude sévère. En fait, elle éprouvait une telle passion pour l'enfant qu'elle aurait été bien incapable de lui donner une fessée. Ce que la petite savait bien.

Alertée par le bruit, Stéphanie entra dans la cuisine et, saisissant ses deux enfants sous les bras, les emmena dans la salle de séjour pour les gronder. Ce qui ne fit pas l'affaire de Marguerite.

— Laissez-les donc, mademoiselle Stéphanie. C'était une vieille casserole. Et puis, je vous interdis de vous fatiguer grommela-t-elle en montrant du doigt le ventre de la jeune femme qui s'arrondissait.

Cette dernière éclata de rire.

— Tu ne changeras pas, Marguerite. D'abord, tu continues à m'appeler mademoiselle comme du temps où j'avais quinze ans. Et puis, tu es d'une indulgence coupable envers les enfants. Ils font absolument tout ce qu'ils veulent. Si je t'écoutais, on leur passerait tous leurs caprices.

La vieille cuisinière retourna à ses fourneaux en marmonnant que la maison des Chabannes avait été assez triste, du temps où il n'y avait plus que monsieur Georges et qu'à présent qu'il y avait des enfants dans la maison, il fallait les laisser faire des bêtises. Forte de cette alliance, Marie et Paul commencèrent à pleurnicher mais leur mère les fit taire. Ouvrant la porte-fenêtre, elle les poussa dans le parc.

— Dehors, allez jouer.

L'effort qu'elle venait de faire l'avait fatiguée et elle s'assit dans un fauteuil. Bien qu'elle fût à son huitième mois de grossesse, elle n'avait pas tellement changé depuis le jour où Clément était venu la chercher à la sortie de la Sorbonne. Huit ans avaient passé pourtant, huit ans de bonheur total. L'accord parfait qui les unissait avec Clément s'était renforcé de jour en jour et, aujourd'hui, c'était avec une joie profonde qu'elle attendait son troisième enfant. Marie était venue très vite, juste un an après le mariage parce qu'ils avaient souhaité ardemment tous les deux concrétiser leur amour. Paul avait aujourd'hui quatre ans et Stéphanie espérait bien mettre prochainement au monde une autre petite fille qui, comme Marie, serait une parfaite synthèse de Clément et d'elle. Des yeux clairs, des cheveux auburn, le teint mat.

Son père et son mari entrèrent dans le salon. Clément se dirigea vers elle et, l'aidant à se lever, il la prit tendrement dans ses bras. Ils n'avaient guère besoin de longs discours pour se comprendre. Leur entente était telle qu'il leur suffisait d'un regard, d'une pression de la main.

Marie et Paul entrèrent en coup de vent et se précipitèrent à leur tour dans les bras de leur père.

— Je t'ai fait un joli dessin, dit Marie en lui tendant une feuille qu'elle avait barbouillée à l'aide de crayons feutre.

Clément ne manqua pas de s'extasier comme il convenait, et Stéphanie contempla avec émotion le spectacle. Qui eût pu imaginer, il y a huit ans, alors qu'elle se trouvait aux Chabannes, qu'elle retrouverait Clément !

Lorsqu'il était venu la chercher à la Sorbonne, il l'avait prise par le bras pour trouver un appui et, en claudiquant, il l'avait conduite vers un taxi. Au chauffeur éberlué il avait donné l'adresse de Jarnac.

Elle-même était stupéfaite.

— Mais, Clément, tu es fou ! Laisse-moi le temps de passer chez moi pour prendre quelques affaires.

Il avait secoué la tête.

— C'est inutile. J'ai hâte de faire la connaissance de ton père pour lui demander la permission de t'épouser. Nous n'avons déjà perdu que trop de temps. Il est presque une heure, nous y serons en début de soirée.

— Mais j'aurais voulu le prévenir.

Sa réponse avait été sibylline.

— Je suis persuadé qu'il sera ravi de nous voir tous les deux.

Intriguée pendant tout le trajet, elle avait compris en arrivant aux Chabannes. La porte du parc était grande ouverte et la maison illuminée. Et son père avait très vite vendu la mèche. Avant d'aller la chercher à la Sorbonne, Clément lui avait téléphoné pour annoncer leur venue. Fou de joie, Georges Morel avait aussitôt quitté Jarnac pour filer à la propriété afin de demander à Marguerite de préparer les chambres et de se mettre aux fourneaux.

— Et si j'avais refusé de te suivre ? avait-elle dit à Clément pour le taquiner.

Il avait sorti son portefeuille de sa poche et en avait tiré une feuille. Stéphanie avait reconnu sa lettre.

— J'avais ce passeport, avait-il répondu en souriant.

Elle s'était approchée de lui, profitant qu'ils étaient seuls.

— C'est vrai Clément que je t'ai attendu pendant des jours et des jours après t'avoir écrit cette lettre. Et je désespérais de jamais te revoir. Enfin, tu as répondu à mon appel, tu es venu.

Ils s'étaient mariés à l'église de Jarnac un samedi de décembre. L'air était froid et sec mais un pâle soleil jetait une belle lumière sur les vignes rangées au cordeau. Claude Saint-André avait tenu à dessiner la robe de mariée et il était venu lui-même surveiller les essayages. Chris-

176

tine babillait à son habitude et s'apprêtait à tenir son rôle de témoin. Son père, très beau dans sa jaquette, cachait difficilement son émotion tandis que, dans sa chambre, Stéphanie revêtait le chef-d'œuvre de Saint-André.

Lorsqu'elle était parvenue au bras de son père à la porte de l'église dont l'huissier en grande tenue avait ouvert les deux battants, elle n'avait plus eu d'yeux que pour la grande silhouette qui l'attendait là-bas, près de l'autel. Pour la circonstance, il avait tenté de discipliner ses mèches folles et c'est avec gravité qu'il la voyait s'avancer vers lui.

Puis cela avait été la grande réception aux Chabannes, le départ en catimini pour le cap d'Antibes. Camille, qui était ravie de connaître les Charentes, leur avait laissé le mas. Huit jours plus tard, ils s'envolaient pour la Corée.

Un mois avant leur union, il avait reçu une lettre de Kim Chung Shik.

« Cher monsieur Durot, était-il écrit. Mon ambassadeur à Paris a lu dans un journal l'annonce de votre mariage avec Mlle Morel. Je formule les vœux les plus sincères pour votre bonheur et je vous fais une proposition. Je serais ravi que vous veniez nous revoir à Séoul. Cela vous permettrait tout d'abord de faire une petite incursion à Pusan pour surveiller la fin des travaux et d'entreprendre ensuite, si vous le désirez, la réalisation d'une école dans le quartier ouest de la capitale. Dans l'hypothèse où ma proposition vous agréerait, appelez l'ambassade. Elle s'occupera de tout. »

Clément avait montré la lettre à Stéphanie.

— Qu'en penses-tu ma chérie ? Es-tu d'accord pour retourner là-bas ?

Elle avait réfléchi quelques secondes.

— Je crois que j'ai une revanche à prendre sur la Corée. N'est-ce pas là-bas que nous avions décidé de nous séparer ? ajouta-t-elle en riant.

— Je suis heureux que tu acceptes. D'abord, parce que je ne serai pas mécontent de voir où en est cet hôpital, ensuite parce que Kim est un homme charmant que j'aurai beaucoup de plaisir à revoir.

Au cap d'Antibes, le temps avait passé comme un éclair et lorsqu'ils étaient arrivés à Séoul, Kim les attendait au pied de l'avion avec une voiture officielle. Il s'était incliné respectueusement devant la jeune femme et avait pris familièrement l'architecte par le bras.

— Heureux de vous voir mon jeune ami, avait-il dit, oubliant les traditionnelles formules de politesse en usage dans les pays asiatiques. Je commençais à m'ennuyer sans vous. Je vais faire en sorte pour que votre séjour en Corée se déroule de la façon la plus agréable possible.

Il avait tenu parole. Stéphanie et Clément avaient été logés dans un palais qui donnait sur un parc somptueux couvert de neige et dans lequel ils allaient se promener quand le soleil acceptait de faire une apparition. Pendant trois jours, Clément avait disparu. Il s'était envolé pour Pusan et en était revenu enchanté.

— Je n'avais pourtant eu le temps que de faire quelques esquisses. Ils ont travaillé de façon parfaite.

Avant de demander à Clément de se mettre

au travail, Kim les avait fait promener dans toute la Corée et c'est les yeux éblouis qu'ils avaient regagné la capitale. Le soir même Kim les avait reçus pour le dîner. Ils s'étaient tous les trois assis à califourchon autour d'une table basse sur laquelle on avait posé une multitude de plats d'une finesse remarquable.

— Je suis prêt à m'y mettre, dit Clément en souriant. J'espère seulement que vous ne faites pas une mauvaise affaire. Car il y a plusieurs mois que je ne me suis pas penché sur une planche à dessin.

Kim eut un air amusé.

— Vous avez du talent et je le sais, répondit-il. Je ne me trompe pas souvent sur les hommes et c'est sans doute pour cette raison que je suis toujours secrétaire d'État.

Six mois plus tard, Stéphanie et Clément avaient repris le chemin de la France. L'école était presque terminée et la jeune femme voulait à tout prix accoucher à Jarnac. Elle désirait que sa fille, car elle souhaitait une fille, naisse dans la même ville qu'elle. Que Marie lance ses premiers gazouillis dans cette demeure familiale des Chabannes dont la chaude atmosphère avait entouré ses premiers pas. Et puis, elle pensait que son père devait avoir hâte de les revoir et elle ne se sentait pas le courage de le décevoir.

Après Marie, il y avait eu la naissance de Paul, devenu un solide gaillard de 4 ans débordant d'énergie et, bientôt, ce serait au tour de Dorothée de venir animer la vieille demeure.

Le soir tomba doucement et une petite brise se leva, rafraîchissant cette nuit de juillet. Épuisés par leur journée au cours de laquelle ils avaient couru à perdre haleine, Marie et Paul étaient déjà couchés. Marguerite alluma une lampe dans la salle de séjour et les pria bientôt de se mettre à table. Clément et son beau-père se levèrent mais Stéphanie se sentit sans forces. La tête lui tourna et elle appela à l'aide.

Clément se précipita.

— Qu'y a-t-il ma chérie ? Tu as un malaise ? Elle fit un geste affirmatif.

— C'est peut-être la chaleur de cet après-midi.

— Et puis, vous ne voulez pas rester en place, dit Marguerite en accourant avec un mouchoir trempé dans l'eau fraîche. Ah ! si vous m'écoutiez.

Déjà, son père était au téléphone. Il appelait le docteur Douffaigues qui suivait la grossesse de Stéphanie. Pendant ce temps, Clément avait allongé sa jeune femme sur le divan et lui rafraîchissait les tempes.

Son père revint.

— Douffaigues veut que nous l'emmenions tout de suite à l'hôpital, dit-il à Clément. Je vais sortir la voiture. Rendez-vous dans cinq minutes.

Confiant Stéphanie à Marguerite, Clément se rendit dans leur chambre pour préparer une valise. Puis il redescendit à toute allure.

— Je vous laisse les enfants, lança-t-il à Marguerite.

— Comme si vous aviez besoin de me le préciser, grogna celle-ci pour cacher son émotion.

180

Il passa son bras sous les épaules de Stéphanie et l'aida à se lever. A petits pas, il lui fit descendre l'escalier et l'installa dans la voiture. Quelques minutes plus tard, ils étaient sur la route de l'hôpital où les avait précédés le docteur Douffaigues. Il fit transporter la jeune femme dans une salle et mit les deux hommes à la porte.

— Je vous appellerai en temps voulu, dit-il.

Commença alors une longue attente pour Georges et Clément. L'un et l'autre tournaient en rond sans dire mot. Parfois, leurs regards se croisaient dans l'espoir d'un réconfort mais les deux hommes faisaient preuve de la même inquiétude.

Soudain la porte s'ouvrit. C'était le chirurgien. Les deux hommes se précipitèrent vers lui.

— Alors, dirent-ils d'un même élan.

Douffaigues paraissait soucieux.

— Le travail est commencé, elle va accoucher avant terme.

— Mais ce n'est pas trop grave ?

— L'enfant se présente par le siège et je redoute des complications. Surtout que votre femme est dans un état de grande faiblesse.

Clément pâlit.

— Alors, vous êtes pessimiste ?

Douffaigues le rassura.

— Mais non, mais non, je n'ai pas dit cela. Mais je ne sais pas si je pourrai sauver l'enfant.

— Et Stéphanie ?

— Je vais faire de mon mieux. Il faut que j'y aille tout de suite car le travail a commencé.

Il s'approcha de Clément et abandonna son

ton bourru. Posant sa main sur son épaule, il lui dit simplement :

— Je ne ferais pas mieux pour ma propre fille. Gardez confiance.

Il ouvrit la porte de la salle d'attente et disparut à leurs regards.

— Courage, Clément, dit Georges.

Ils prirent place tous les deux sur la banquette en moleskine et guettèrent le moindre bruit dans l'hôpital. Clément était atterré. Le bonheur allait-il les fuir après ces huit années de félicité sans nuage qu'ils avaient connues ? Était-il possible qu'une tragédie vienne rompre leur union ? Il ne se sentit pas préparé à cette éventualité. Des larmes gonflèrent ses paupières qu'il n'eut pas le courage d'essuyer. Il se sentit envahi d'une immense tristesse en songeant à la jeune femme gaie et heureuse qui, dans la matinée, avait posé sa tête avec une infinie tendresse sur son épaule pour lui dire une fois encore sa joie d'être là, près de lui, près de leurs enfants qu'elle adorait, à la veille de donner une fois encore la vie à un petit être qu'ils avaient conçu dans la joie.

Cela, c'était le matin. La nuit était très avancée lorsque le docteur Douffaigues réapparut. En ouvrant la porte, il aperçut les deux hommes défaits qui attendaient son verdict.

Ils se dressèrent d'un bond.

— Dites-nous...

Douffaigues eut un bon sourire.

— Mes félicitations, mon cher Clément, vous avez une autre petite fille, et j'ai cru comprendre que votre femme souhaitait l'appeler Dorothée.

Clément poussa un cri de joie.

— Je peux les voir ?

Le chirurgien fit un geste négatif.

— Votre femme se repose et il ne faut pas la déranger pour l'instant. Mais vous pouvez jeter un coup d'œil sur votre fille. Pour un bébé né avant terme, elle ne se porte pas trop mal.

Ils suivirent Douffaigues qui les entraîna dans la nurserie. Dans une couveuse artificielle, Dorothée dormait paisiblement et bien qu'il ne fût pas doué pour les ressemblances, Clément estima qu'elle était le portrait de Marie.

Ils sortirent précautionneusement de la pièce et Clément retint le chirurgien.

— Comment cela s'est-il passé ?

— Ce fut difficile, avoua Douffaigues. Dieu merci votre femme a été très courageuse et elle nous a beaucoup aidés. Lorsqu'elle aura quitté l'hôpital, il faudra qu'elle se repose. Je vais lui prescrire de longues séances de chaise longue pour lui permettre de récupérer.

— Et Dorothée ?

— Rien à craindre, elle se porte comme un charme. Quelques semaines de couveuse, peut-être moins, et il n'y paraîtra plus.

Soulagés, les deux hommes reprirent le chemin des Chabannes. Marguerite les attendait, assise sur une chaise de la cuisine.

— Et alors, dit-elle tristement, moi on ne me tient pas au courant, on me prend pour quantité négligeable. Donnez-moi des nouvelles de mademoiselle Stéphanie.

Clément prit la vieille cuisinière dans ses bras et lui fit effectuer un tour de valse.

— Tout va bien Marguerite. Stéphanie a une petite fille, une petite Dorothée.

Elle renifla bruyamment pour cacher son émotion et retourna à ses fourneaux.

— Bon, je vais vous faire du café. Je pense que vous en avez besoin.

Deux heures plus tard, Clément retourna à l'hôpital pour tenter d'apercevoir Stéphanie. Il faisait un temps radieux. Les blés mûrissaient doucement à la veille d'être fauchés et dans les vignes, le raisin se gorgeait de soleil. Il était profondément heureux. Après la terrible frayeur de la nuit, il avait l'impression de découvrir un nouveau monde, comme s'il voyait ces paysages, pourtant familiers, pour la première fois.

Arrivé à Jarnac, il se heurta à l'infirmière chef qui le regarda d'un air soupçonneux.

— Le docteur Douffaigues m'a chargée de vous dire qu'il ne vous accordait que dix minutes. Tâchez de respecter ce délai car il ne faut pas fatiguer votre femme.

Il promit et prit le chemin de la chambre. Quand il ouvrit la porte, il vit qu'elle avait les yeux grands ouverts et qu'elle regardait dans sa direction. Stéphanie l'attendait. Elle tenta de lever sa main mais n'eut pas la force de terminer son geste. Alors, son visage épuisé s'éclaira d'un sourire radieux.

— Clément, mon chéri...

Il s'était précipité et posait ses lèvres sur sa main fiévreuse. Sans dire mot. L'émotion était trop forte.

— Toute cette nuit, j'ai pensé à toi, dit-elle

184

avec une voix lasse. C'est ce qui m'a donné la force d'aller jusqu'au bout, de tenir. Je ne voulais pas te décevoir et je m'en serais voulu de vous abandonner tous les trois.

— Tous les quatre, murmura-t-il.

Les lèvres de la jeune femme tremblèrent.

— Tu as vu Dorothée ? Parle-moi d'elle. Je n'ai pas été encore autorisée à la voir. Je t'en prie Clément.

Il tenta de l'apaiser.

— Allons, Stéphanie, ne te fais pas de soucis. Douffaigues m'a affirmé que notre fille se portait à merveille. Celle dont il faut que nous nous occupions avant tout, c'est toi. Quand tu reviendras aux Chabannes, tu vivras comme un coq en pâte. Compte sur Marguerite.

— Et les enfants, comment vont-ils ? Sont-ils heureux d'avoir une petite sœur.

— Marie m'a chargé de te dire qu'elle vous attendait toutes les deux avec impatience.

Épuisée par l'effort qu'elle venait de fournir, Stéphanie ferma les yeux mais un léger sourire se dessinait sur ses lèvres. Clément ne lui avait apporté que de bonnes nouvelles. Soudain, elle murmura :

— Clément.

Son mari tendit l'oreille.

— Te souviens-tu de Séoul, de notre promenade dans le parc, de notre rupture ? A cette époque, je n'avais pas encore compris l'amour que j'éprouvais pour toi. Tu étais là, l'air malheureux, à me dire que tu m'aimais et moi, comme une folle, je ne voulais pas comprendre. Ai-je été sotte !

— Tout cela, c'est du passé ma chérie. Cela n'a plus d'importance.

— Mais si, mais si. Ce n'est que lorsque j'ai appris que tu avais eu un accident que j'ai eu la révélation, comme un voile qui se déchire. J'ai alors couru vers toi mais tu étais déjà parti. Je me souviens de ma tristesse...

— C'était par pudeur. Je ne voulais pas que tu te crois obligée...

— Ce n'était pas de l'obligation, c'était de l'amour.

La porte s'ouvrit dans son dos et l'infirmière passa la tête.

— Il faut que vous la laissiez monsieur Durot. Elle est en train de s'assoupir.

Il ôta délicatement la main qu'elle avait posée sur la sienne et se leva. Dans le couloir, il rencontra Douffaigues.

— Ça ira, grommela ce dernier.

Il pointa un doigt vers Clément.

— Mais que je ne vous y reprenne plus.

Deux fois par jour, Clément se précipitait au chevet de Stéphanie qui reprenait des forces. Les médecines énergiques du docteur Douffaigues avaient fait leur effet, mais aussi le fait qu'on avait enfin installé Dorothée dans la chambre de la jeune femme. Lorsque l'infirmière l'avait mise dans ses bras, elle avait poussé un cri de joie et elle ne se lassait pas de s'extasier devant le petit être qui avait gagné le droit à la vie.

Un jour, Clément vint les chercher. Douffaigues avait donné le feu vert.

— Mais, comme vous n'êtes pas sérieux les

uns et les autres, j'ai donné mes consignes à Marguerite. Au moins, je suis sûr qu'elles seront respectées.

C'était le 15 août, la fête de Marie. On transporta Stéphanie sur une civière vers l'ambulance et l'on mit près d'elle son bébé qui avait déjà rattrapé son retard, ou son avance.

Clément s'assit à côté du chauffeur qui prit doucement le chemin des Chabannes.

Il jeta un regard vers sa femme. Radieuse, elle contemplait la campagne. Elle gonflait sa poitrine en respirant l'air qui pénétrait par la fenêtre légèrement entrouverte. Elle ferma les yeux de bonheur.

— Clément, je suis profondément heureuse. Je veux te dire une fois encore que je t'aime.

Il posa tendrement sa main sur la sienne. Sans dire mot. C'était inutile.

La voiture se rangea devant le perron de la maison. Le chauffeur et le brancardier ouvrirent la porte arrière de l'ambulance et en sortirent tout d'abord Stéphanie. Cette dernière regarda vers les marches et elle éclata en sanglots. Au bas de l'escalier, dans leurs habits de fête, il y avait tout d'abord Marie, l'air inquiet, qui tenait fermement la main du petit Paul. Puis c'était son père qui lui faisait un bon sourire. Enfin, tout en haut, Marguerite qui affectait un air bougon pour cacher ses yeux embués.

Sur un signe de leur père, Marie et Paul se précipitèrent vers Stéphanie qui les serra sur son cœur. Puis elle leur désigna le petit bout de femme qui souriait aux anges dans son berceau et qui attendait paisiblement qu'on s'occupât d'elle.

— Venez dire bonjour à votre petite sœur, dit-elle doucement.

Pendant que les deux enfants s'extasiaient, on la transporta dans la salle de séjour et Marguerite commença de monter la garde. Puis ce fut au tour de Dorothée de pénétrer pour la première fois dans les Chabannes.

— Posez-la ici, près de moi, demanda-t-elle.

Clément vint s'asseoir près d'elle.

— C'est cela le bonheur, dit Stéphanie.

— C'est cela, répéta-t-il gravement.

Leurs mains se joignirent et se serrèrent. Il se pencha sur son front et l'effleura d'un baiser.

— Et nous te le devons, ajouta-t-il.

Achevé d'imprimer
le 30 janvier 1980
sur les presses de
Métropole Litho Inc.
Anjou, Québec - H1J 1N4